NEW
서울대 선정
인문고전
60선

35
한비자

NEW 서울대 선정 인문 고전㉟

만화 한비자

개정 1판 1쇄 발행 | 2019. 8. 21
개정 1판 3쇄 발행 | 2025. 1. 11

권오경 글 | 유대수 그림 | 손영운 기획

발행처 김영사 | 발행인 박강휘
등록번호 제 406-2003-036호 | 등록일자 1979. 5. 17.
주소 경기도 파주시 문발로 197 (우10881)
전화 마케팅부 031-955-3100 | 편집부 031-955-3113~20 | 팩스 031-955-3111

값은 표지에 있습니다.
ISBN 978-89-349-9460-2
ISBN 978-89-349-9425-1(세트)

좋은 독자가 좋은 책을 만듭니다. 김영사는 독자 여러분의 의견에 항상 귀 기울이고 있습니다.
전자우편 book@gimmyoung.com | 홈페이지 www.gimmyoung.com

이 도서의 국립중앙도서관 출판예정도서목록(CIP)은 서지정보유통지원시스템 홈페이지(http://seoji.nl.go.kr)와 국가자료종합목록시스템(http://www.nl.go.kr/kolisnet)에서 이용하실 수 있습니다. (CIP제어번호 : CIP2018042958)

|어린이제품 안전특별법에 의한 표시사항| **제품명** 도서 **제조년월일** 2025년 1월 11일
제조사명 김영사 **주소** 10881 경기도 파주시 문발로 197 **전화번호** 031-955-3100 **제조국명** 대한민국
사용 연령 10세 이상 ⚠**주의** 책 모서리에 찍히거나 책장에 베이지 않게 조심하세요.

미래의 글로벌 리더들이 꼭 읽어야 할 인문고전을 만화로 만나다

NEW 서울대 선정 인문고전 60선

35

한비자

권오경 글 · 유대수 그림

주니어김영사

| 기획에 부쳐 |

〈NEW 서울대 선정 인문고전60〉이 국민 만화책이 되기를 바라며

제가 대여섯 살 때 동네 골목 어귀에 어린이들에게 만화책을 빌려주는 좌판 만화 대여소가 있었습니다. 땅바닥에 두터운 검정 비닐을 깔고 그 위에 아이들이 좋아하는 만화책을 늘어놓았는데, 1원을 내면 낡은 만화책 한 권을 빌릴 수 있었지요. 저는 그곳에서 만화책을 보면서 한글을 깨쳤고 책과의 인연을 맺었습니다.

초등학교 때는 용돈을 아껴서 책을 사서 읽었고, 중학교 때는 학교 도서 반장을 맡아 도서관에서 매일 밤 10시까지 있으면서 참 많은 책을 읽었습니다. 그 무렵 헤밍웨이의 《노인과 바다》를 손에 땀을 쥐며 읽으면서 인생에 대해 고민했고, 헤르만 헤세의 《수레바퀴 아래서》를 읽으며 사춘기의 심란한 마음을 달랬습니다. 김래성의 《청춘 극장》을 밤새워 읽는 바람에 다음 날 치르는 중간고사를 망치기도 했습니다.

당시 저의 꿈은 아주 큰 도서관을 운영하는 사람이 되어 온종일 책을 보면서 책을 쓰는 작가가 되는 것이었습니다. 나이가 들고 어느 정도 바라는 꿈을 이루었습니다. 큰 도서관은 아니지만 적당한 크기의 서점을 운영하고, 글을 쓰는 작가가 되었거든요. 저는 여기에 새로운 꿈을 하나 더 보탰습니다. 그것은 즐거운 마음과 힘찬 꿈을 가지게 해 주고, 나아가 자기 성찰을 도와주는 좋은 만화책을 만드는 일이었습니다. 이렇게 해서 만든 책이 바로 〈서울대 선정 인문고전〉입니다. 서울대학교 교수님들이 신입생과 청소년들이 꼭 읽어야 할 책으로 추천한 도서들 중에서 따로 60권을 골라 만화로 만든 것입니다. 인류 지성사의 금자탑이라고 할 수 있는 고전을 보기 편하고 이해하기 쉽도록 만화책으로 만드는 일은 쉬운 일은 아니었습니다. 약 4년 동안에 수십 명의 학교 선생님들과 전공 학자들이 원서의 내용을 정확하게 전달할 수 있도록 밑글을 쓰고, 수십 명의 만화가들이 고민에 고민을 거듭하면서 만화를 그려 60권의 책을 만들었습니다.

〈서울대 선정 인문고전〉이 완간되었을 무렵에 우리나라에 인문학 읽기 열풍이 불기 시작했습니다. 〈서울대 선정 인문고전〉은 인문학 열풍을 널리 퍼뜨리는 데 한몫을 하면서 독자들의 뜨거운 사랑과 관심을 받았습니다. 덕분에 지금까지 수백만 권이 팔리는 베스트셀러가 되었습니다. 그 사랑에 조금이나마 보답을 하기 위해 《칸트의 실천이성 비판》, 《미셸 푸코의 지식의 고고학》, 《이이의 성학집요》 등 우리가 꼭 읽어야 할 동서양의 고전 10권을 추가하여 만화로 만들었습니다.

〈서울대 선정 인문고전〉은 어린이와 청소년이 부모님과 함께 봐도 좋을 만화책입니다. 국민 배우, 국민 가수가 있듯이 〈서울대 선정 인문고전〉이 '국민 만화책'이 되길 큰마음으로 바랍니다.

손영운

시대를 초월한 삶의 지혜가 담긴 인생지침서

《한비자》는 바로 내일 일조차 알 수 없을 만큼 혼란했던 전쟁의 시대, 주로 군주들에게 읽혀지기 위해 써진 글입니다. 게다가 《한비자》는 2000년도 더 된 아주 오랜 옛날 책입니다.

그 먼 옛날 책임에도 불구하고 《한비자》에는 삶에 대한 깊이 있는 통찰과 무릎을 치게 하는 지혜가 숨어 있습니다. 또한 감탄을 자아내게 하는 흥미진진한 이야기들이 책 구석구석에 가득 담겨 있습니다. 시대를 초월하여 오늘을 살아가는 우리조차도 고개를 끄덕이게 만드는 힘이 있습니다. 이런 점들이 오늘, 《한비자》의 지혜를 인용하였거나 그와 관련된 책이 쏟아져 나오고 있는 이유입니다.

중국이 유학의 나라, 유교의 나라라고 하지만, 오랜 세월 동안 정치를 움직여온 힘은 법가사상이었습니다. 때로 여러 나라로 분열되어 치열한 대립을 펼치기도 하지만, 군주(황제 또는 왕)들이 꿈꾼 것은 통일된 중원이었지요. 물론 자신이 그 주인이 되기를 함께 꿈꾸었지요. 중원의 주인이 된 황제들은 강력한 왕권을 바탕으로 한 중앙집권체제를 확립하고자 애썼습니다. 그래서 늘 《한비자》의 가르침을 정치 속에서 펼쳤습니다.

《한비자》는 방대한 책입니다. 《논어》나 《맹자》 등 비슷한 시기의 책들에 비하면 더욱 더 그렇지요. 55편에 이르는 방대한 책이기에 《한비자》는 한비자 혼자서 쓴 책이라고 보기는 어렵습니다. 물론 한비자의 글도 있지만 그중에는 한비자와 같은 법가사상을 가진 이들이 함께 토론하고 정리한 글, 후세 한비자의 가르침을 따르는 이들이 정리한 글 등도 포함되어 있다는 것이 후세 학자들의 생각입니다. 그래서인지 주제별로 일목요연하게 정리되어 있기 보다는 같은 주장들이 이곳저곳 흩어져 있고, 중언부언하는 내용도 적지 않습니다.

이 책에서는 55편의 내용을 편의 구분과 순서에 상관없이, 한비자의 사상과 주장을 이해하기 쉽도록 몇몇 개의 주제를 중심으로 재구성했습니다.

글을 쓰는 동안 내내, 내가 가르치는 아이들, 내 두 딸들을 떠올렸습니다. 이 책이 그들의 눈높이에 딱 맞았으면 좋겠습니다. 그래서 지루하지 않고 단숨에 읽어 내려 갈 수 있었으면 좋겠습니다.

권오경

가난하고 힘 없는 사람들을 위한 법法

한가한 오후에 동네 어귀에 있는 공원에 산책을 나갔을 때 일입니다. 아이들 한 무리가 놀고 있었는데 유독 덩치가 큰 녀석이 있더군요. 무심코 아이들이 노는 모습을 지켜보고 있었는데 아무래도 덩치가 큰 녀석이 골목대장인 듯 다른 아이들이 쩔쩔매는 모습이었어요.

카드게임인가를 하던 끝에 녀석이 아이들이 가지고 있던 카드를 모두 쓸어모으며 "내가 이긴 거다. 이 카드 모두 내가 딴 거야!" 라고 하더군요.

아이들 모두 조용히 있었지만 표정으로 보건데 녀석의 승리를 납득하지 않는 눈치였어요. 녀석은 자리를 툭툭 털고 일어나 거리낌 없이 당당한 얼굴로 휘적휘적 돌아갑니다. 아이들도 하나둘 흩어져 돌아가구요.

가만히 보고 있자니 어릴 적 제 모습이 떠올라 입가에 미소가 번졌습니다. 그때 한 아이가 제 앞을 지나며 볼멘 소리로 툭 던지듯 한마디를 했습니다.

"치, 저런 법이 어딨어……!"

'법法' 이란 말은 우리가 주변에서 흔하게 들을 수 있고 또 흔하게 이야기 하곤 합니다. 법이 있기에 잘못을 저지른 사람에게는 벌을 내릴 수 있고, 억울한 이들의 억울함을 풀어줄 수도 있습니다.

"법 앞에 만인은 평등하다!"

최소한 우린 법에 대해 이렇게 알고 있습니다. 하지만 오늘날 돈이나 권력이 있는 사람들이 잘못을 저지르고도 법을 유유히 빠져나가는 경우를 심심치 않게 볼 수 있습니다.

한비자는 군주가 행해야 될 법이란 매우 엄격하고 빈틈이 없어야 한다고 말하고 있습니다. 지독하리만치 철저하게 법으로서의 정치를 강조하고 있는 거죠. 그의 주장이 현시대에 적용하기에는 무리라는 생각이 들 수도 있습니다. 어쩌면 철권통치의 두려움에 몸이 떨릴 수도 있고요. 하지만 그가 이야기 하고자 했던 군주가 행해야 할 강력한 '법'이라는 것이 궁극적으로는 힘없고 돈 없는 서민들을 위한 것이었습니다. 그렇게 될 때 서민들이 맘 놓고 평화로이 살 수 있는 나라가 될 것입니다. 《한비자》에서 얘기하는 '법'이 바로 그것입니다. 이 책의 마지막 장을 넘기면 반드시 느낄 수 있으리라 생각합니다.

끝으로 좋은 글을 써주신 권오경 선생님께 과연 제가 원작을 충분히 살렸을까 하는 두려움과 함께 감사의 말씀을 드립니다.

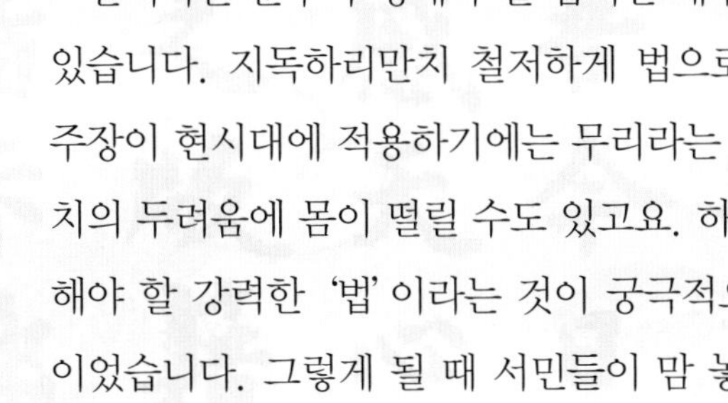

법

유대수

| 차 례 |

《한비자》와 함께하는 중국 고대사 공부

제1장 《한비자》는 어떤 책인가?

韓非子
애들아, 중국! 하면 뭐가 떠오르지?
무지 인구가 많아요.
그래, 세계에 살고 있는 사람들 중 5명 중의 1명은 중국인일 정도로 인구 대국이지.
또?
지겹고 어려운 한자요!
맞아. 한자는 아무리 공부해도 돌아서면 잊어버릴 정도로 복잡한 글자야.
難
정말….
'어려울 난' 이네….
한자는 오랜 세월 중국은 물론 우리나라나 일본에서도 통용되었고, 지금도 수업시간에 배우고 있지.
하늘 천 따 지….
어렵스므니다….

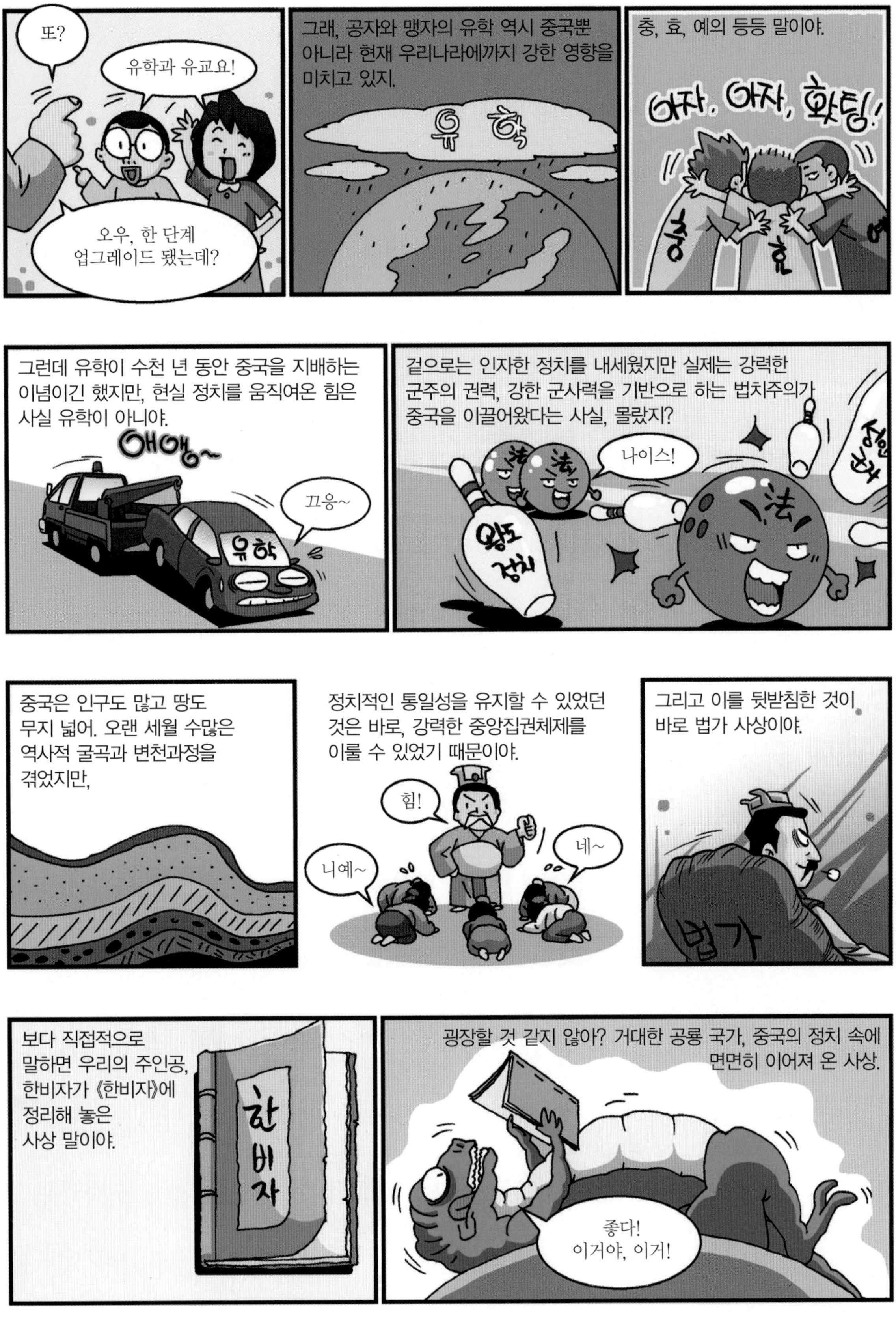
또?
유학과 유교요!
오우, 한 단계 업그레이드 됐는데?
그래, 공자와 맹자의 유학 역시 중국뿐 아니라 현재 우리나라에까지 강한 영향을 미치고 있지.
유학
충, 효, 예의 등등 말이야.
아자, 아자, 화팅!
충
효
예
그런데 유학이 수천 년 동안 중국을 지배하는 이념이긴 했지만, 현실 정치를 움직여온 힘은 사실 유학이 아니야.
애앵~
끄응~
유학
겉으로는 인자한 정치를 내세웠지만 실제는 강력한 군주의 권력, 강한 군사력을 기반으로 하는 법치주의가 중국을 이끌어왔다는 사실, 몰랐지?
法
法
나이스!
왕도 정치
法
성인 군자
중국은 인구도 많고 땅도 무지 넓어. 오랜 세월 수많은 역사적 굴곡과 변천과정을 겪었지만,
정치적인 통일성을 유지할 수 있었던 것은 바로, 강력한 중앙집권체제를 이룰 수 있었기 때문이야.
힘!
니예~
네~
그리고 이를 뒷받침한 것이 바로 법가 사상이야.
법가
보다 직접적으로 말하면 우리의 주인공, 한비자가 《한비자》에 정리해 놓은 사상 말이야.
한비자
굉장할 것 같지 않아? 거대한 공룡 국가, 중국의 정치 속에 면면히 이어져 온 사상.
좋다!
이거야, 이거!

법가가 뭘까? 정확히는 모르겠지만 법(法)과 관련이 깊다는 정도는 눈치 챘겠지?
냄새가 나!
法 가
무슨….
그래. 법가는 가장 간단하게 말하면 법, 그것도 엄격한 법에 따라 나라를 통치해야 한다고 주장했어.
너… 법이지?
당연히….
法
그럼, 우리 나라도 법가의 주장에 따르고 있는 거네요?
와우!
날 닮았네~
고금*을 연결하여 이해하는 그 통찰력!
굿!
하지만 오늘날 우리가 흔히 얘기하는 법치와는 많이 다르단다.
닮은 것 같기도 하고….
아닌 것 같기도 하고….
가장 큰 차이점은 그 법을 누가 만들었느냐는 점이지.
조물락
조물락
法

*고금(古今) – 옛날과 현재.

법가가 이야기하는 법은 군주, 즉 왕이 일방적으로 만든 거야.
法
하하… 내 맘대로….
왕
왕이 자신의 뜻에 따라 나라를 일사분란하게 다스리기 위해 만든 거지.
일어서.
앉아.
앉아.
반면에 오늘날 우리나라를 포함한 민주국가의 법은 국민이 직접 뽑은 대표인 국회의원들이, 대표 기관인 의회(국회)에 모여 만들어.
그만 싸우고 일합시다.
즉, 왕이 아닌 국민에 의해 만들어진다는 점이 결정적으로 다르지.
우리 뜻을 대변할 인물을
뽑아야지.
투표소
또 하나, 법을 적용하는 데 예외가 있느냐 없느냐 하는 점.
어?!
法
접근 금지
법가 시대에는 군주는 자기가 만든 법의 적용을 받지 않았어. 완전 예외였지.
법
치외 법권!

하지만 오늘날 민주국가에선 누구도 예외가 될 수 없어.
만인은
평등하다!
法
한 나라의 대통령일지라도, 심지어 입헌군주국의 왕일지라도 법을 어겼을 때 제재를 받는다는 점에서는 예외가 아니지.
난 전직 대통령이었다구!
그래서?
법가 시대의 법이 왕의 이익을 위해서 신하와 백성들이 자기 말을 거역하지 않고 잘 듣도록 하기 위해 만든 것이라면,
쭉~
척
척
옳지!
오늘날의 법은 원칙적으로 국민의 권리와 자유, 재산을 보호하고 침해받지 않도록 하기 위해 만들었어.
헥…
헥..
法
오늘날 법치주의의 출발은 근대 시민 혁명으로 근본 뜻은 왕(군주)이 국민의 권리와 자유를 멋대로 짓밟지 못하도록,
STOP!!
法
오히려 법으로 보호하기 위해서 만든 거야. 그러니 당연히 법을 어겼을 때 돌아오는 처벌도 다르지.
죽일 정도는 아니고요.
法
법가는 법을 어겼을 때 벌을 아주 엄하게 내려야 한다고 주장했어.
法가
기강 확립!
그래서 그 시대의 형벌은 너무 가혹했고, 야만적이기까지 해.
당길까요?
친구들에게 알려주는 것이 두려울 정도로 지독한 형벌이 많지.
지지직~
갑자기 안 나오네.
하지만 오늘날 민주국가에서는 범죄를 저지른 사람의 인권조차 보호하려 하지.
주니어 신문
범죄인 신상 공개… 인권침해 우려 있어…

그래서, 오늘날 민주 국가에서 살고 있는 우리들이 《한비자》를 읽다보면, 받아들이기 어려운 부분도 많아.
뭐야? 이거 철저한 독재정치를 주장하고 있잖아?
민주주의를 위해 피흘리며 싸웠던 수많은 이들의 희생을 생각하면 더더욱 그렇지.
와아…
민주
독재타도!
와아아
발사!
사실, 《한비자》에 나오는 대부분의 이야기들은 오늘날과는 맞지 않는 게 많아.
그러니까….
시대가 어느 땐데….
한비자
현대법전
까마득한 옛날 군주의 권한이 절대적이었던 시대의 사상이니 그럴 수밖에 없겠지.
이런 시절도 있어!
하지만 선입견은 금물!
고리타분하고 시대에 뒤떨어진 것이겠지?
옛날 이야기지 뭐.
대충 한번 읽어보고 넘어가면 되는 이야기책이겠네.
…라고 생각하면 큰 오산이야.
척!
왜냐고? 《한비자》는 그 시대를 치열하게 살아갔던 사람들의 생생한 삶의 기록이야. 진리는 시대를 초월하여 많은 이들에게 생생한 감동과 교훈을 주는 법이지.
읽다보니 푹 빠지네….
실제로 본문을 읽다보면 그 절묘한 비유와 해석에 감탄하여 무릎을 치게 되고, 이게 2000년 전에 쓰인 것이 맞나 싶을 정도로 오늘을 살아가는 우리에게도 그대로 적용되는 것이 아주 많거든.
그만 자거라!
조금만 더 읽고요.

점점 더 궁금해지지? 그럼 《한비자》에 담겨 있는 이야기가 뭘까?
밥 먹자!
자자. 너무 서두르지 말고. 너무 빨리 먹는 밥은 체하는 법!
읍….
읍….
천천히 꼭꼭 씹어서 잘 소화시키며 먹어보자구.
컥!
천천히 꼭꼭….
그럼, 먼저 법가 사상이 출현한 시대로 돌아가 볼까?
2000년도 훨씬 전인 아주 먼 옛날,
당시 중국에서는 500년 동안이나 전쟁의 시대가 계속되고 있었어. 어제의 강국이 오늘 쇠퇴하여 없어지고,
이젠 내가 대장이다.
별 볼일 없던 작은 나라가 새로 뜨기도 하고, 결국엔 덩치를 더욱 키운 나라들끼리 사활을 건,
다 모여봐!
운명의 일전을 벌이던 치열한 생존경쟁의 시대. 바로 춘추전국시대야.
와아
와
춘추시대는 크고 작은 나라들이 100여 개나 있어서
와글
죽을래?
이게….
조용히 좀 하자!
와글
야…!
한판 붙자.
겉으로나마 큰집인 주나라 천자를 모시며 주위의 눈치를 살피던 때였어.
주왕
충성!
오냐!

반면 전국시대는 세력 넓히기에 혈안이 되었던 시대였지.
졌으니까 내 밑이야!
작고 약한 나라는 크고 강한 나라에게 먹히는 이른바 약육강식의 시대….
작은 나라는 다 없어지고 힘센 7개 나라*만 남았으니,
지금부터
우리끼리 전쟁이군.
큰 나라들끼리의 전쟁의 규모는 더 크고 치열해질 수밖에….
그 당시 제후들의 꿈은 자신이 다스리는 나라를 더욱 강하게 만들어 분열의 시대를 끝내고 드넓은 중원의 주인이 되는 것이었겠지.
스윽
이 중원 모두가 내 것이….
…면 좋겠다!
각국의 제후들은 더 강하고 날카로운 무기를 만들려고 노력했어.
약하다.
똑
그 과정에서 탄생한 신무기가 바로 철기야.
굿!
철기는 청동기에 비해 훨씬 만들기 쉽고 원료도 쉽게 구할 수 있는 데다 더 강하고 날카로웠거든.
흔하네.
철
청동기
청동기와 비교하면 철기는 핵무기 정도의 위력을 가졌어.
챼앵
졌다!
돌로 만든 농기구를 사용하던 시대도 끝나고, 이제는 농기구도 철로 만드는 철기 시대가 도래하게 된 거야.
아….
청동기 시대에 웬 돌로 만든 농기구냐고?
왜?
오우, 좋은 질문이야.

*전국 7웅 – 제(齊), 초(楚), 진(秦), 연(燕), 위(魏), 한(韓), 조(趙)

맞아, 청동기 시대에도 농기구는 돌로 만들었어.
청동기는 워낙 귀하고 만들기도 힘들었을 뿐만 아니라 단단한 땅을 갈아엎고 하기엔 잘 휘거나 닳아 버렸거든.
또 구겨졌다!
그래서 무기나 제사용 도구 정도만 청동기로 만들었을 뿐, 농기구는 아직 석기 시대에 머물러 있었던 거지.
근본이 틀리다구….
청동기
철로 만든 농기구는 날카롭고, 강해서
단단하지!
밭을 갈아엎는다던가, 곡식을 추수하기에 훨씬 수월했지.
다 갈았어!
벌써?
나라를 더욱 강하게, 부유하게 만드는 것이 목표였던 제후들이 앞 다투어 철제 농기구를 받아들여 사용한 것은 당연한 결과!
철!
철!
철기!
철!
치열한 경쟁이 결정적인 도구의 발전을 가져온 셈이지.
졌다….
형님!
철제 농기구 덕분에 훨씬 넓은 땅의 개간이 이루어졌고, 귀족들만이 가질 수 있었던 토지를 이제 일반 백성들도 가지게 되었어.
내 땅이다!
내땅
내땅
이놈 괜찮네!
덕분에 춘추전국시대는 농업이 발전해 생산력이 훨씬 늘어났고,
자기가 쓰고 남은 물건을 사고 팔다 보니 시장이 커지고, 상업도 발달하게 되었어.
싸게 줘요.
과일
싸다 싸~
더하여 춘추전국시대의 중요한 경제적 발전의 하나가 바로 사고 팔기에 편리하도록 화폐가 쓰이기 시작했다는 거지.
환전
포전

이러한 경제적 발전으로 귀족에 눌려 기를 못 펴던 일반 백성들도
많이 준 거다.
씨이….
경제력을 갖추게 되면서 점차 목소리를 높이게 됐지.
나랑 장사하자.
짭짤해.
도소매
군주인 제후의 입장에서는 백성들의 경제력이 성장하면 세금을 많이 거둬서 좋고
세금
좋구나.
왕권을 위협하는 귀족들의 힘을 억누르는 일석이조의 효과가 있었지.
꾹
죽갔다!
꾹
철기는 편리한 농기구뿐만이 아니라
너나….
날카롭고 강한 무기도 될 수 있었기 때문에
…나나!
전쟁은 더욱 더 치열해졌지. 전국시대 말기로 갈수록 전쟁에 동원되는 군사의 숫자도 엄청나게 늘어났어.
우린 50만이다!
훗!
우린 100만!
그만큼 전쟁으로 죽거나 다치는 숫자도 훨씬 더 늘어났지.
전사자 명단
이제 춘추전국시대를 주름잡았던 주인공들에 대해 얘기해 볼까?
집어
난 집에서 주름 잡아요.
난세에 영웅이 태어난다고, 이 위기와 혼란의 시대는 수많은 영웅호걸을 낳았지.
쏴아아
쏙
쏙
제후들은 자신의 꿈을 실현시켜 줄 뛰어난 인재를 모시기에 바빴어.

한 수 가르침을 줄 학자나 사상가부터 뛰어난 지략가, 위기를 해결해 줄 해결사들….
이게 필요하지?
심지어 도둑질하는 재주, 말 잘하는 재주 등 어떤 재주라도 있으면
출신 성분은 아무 상관없다고?
같이 가.
연신
저곳에서 나의 능력을!
이제 신분이 아닌 본인의 실력으로 승부하는 시대가 되었어.
도루왕
아… 밝은 세상
500년이라는 긴 세월 동안 얼마나 많은 영웅호걸들이 자신의 야망과 꿈을 펼치기 위해 활약하고, 꿈을 이루기도 하고, 또 좌절하며 스러져 갔는지….
버티자!
아직 멀었네….
촤라라락…
또 있어. '혼란한 시대, 전쟁과 위기의 시대를 끝내고 평화롭고 멋진 세상을 만들기 위해서는 어떻게 해야 할까?
끄응
이런 고민은 화장실이 최고야.
이상적인 인간 사회는 어떠해야 하나?
토마스 모어
유토피아
나?
또 드넓은 중원을 차지하기 위해서는 어떤 방법이 필요할까?
다~ 내 발 아래로다!
나라를 부강하고 튼튼하게 만들기 위해서는 어떤 일을 해야 하지?' 를 고민하고 이를 실천하고자 했던 수많은 지식인, 학자, 사상가들….
회의중
사실 그 이전만 하더라도 하늘의 뜻이 세상의 질서를 이끈다고 생각하고 있었거든.
어험!
초상권!

그런데 이제 인간의 노력으로 혼란한 세상을 바로잡을 수 있는 방법을 찾게 된 거지.
구름위라…
나도 저 자리에 갈 수 있다!
이봐!
어떤 이는 그래서 이들의 노력이 '인간을 발견하는 것' 이었다고도 해.
음… 인간이 할 수 있는
다른 방법을….
그들이 누굴까?
요기.
척
공자, 맹자, 순자, 묵자, 노자, 장자, 손자 등등 수많은 子자 돌림의 어르신들이 바로 그들이지.
혼자만 큰 화면이야?
물론 우리가 공부할 이 책 《한비자》를 쓴 한비자도 그 어르신들 중 한 분이고.
뒷모습이잖수!
그런데 왜 '子' 자가 다 들어 가냐고?
子
넌 학교에서, 네가 진짜 존경하는 선생님들의 이름을 함부로 부를 수 있니?
나학주….
뭐?
OO선생님 이렇게 부르잖아? 바로 그거야. '子' 는 바로 선생님이란 뜻이지.
…선생님!
으… 응?
즉, 공 선생님, 맹 선생님, 순 선생님… 뭐 이런 뜻이야.
학자….
휙
휙
'子' 는 선생님이란 뜻인데….

이들 사상가들의 주장을 살펴
공통점에 따라 묶어서 가(家)자를
써서 유가, 도가, 법가, 묵가
등등으로 불렀단다.
유가
도가
법가
묵가
'가'는 같은 주장을 펴는
학파라고 할 수 있지.
솔~~
우리의 주인공 한비자는 법가에 속하지.
법가 사상가
한비자
춘추전국시대에 활약했던
이들 학자, 사상가들을
제자백가라고 불러.
제자 백가
소속: 사상팀
김영사
제자 백가
소속: 학자팀
주니어
제자(諸子)는 여러 선생님들, 학자들,
백가(百家)는 수많은 학파들,
유가
묵가
이리로
오세요….
도가
여기로!
한마디로 수많은 사상가와
학파를 이야기하지.
제자백가
이들의 사상과 학설이 중국 문화의 뼈대를
이루었다 해도 과언이 아닐 정도로 이들이
후대에 끼친 영향은 엄청났지.
중국문화
제자백가 비료
백가 비료
나아가 그 이웃에 있는 우리나라나 일본도 이에
영향을 받았어.
이게
좋은겨?
기분이
째지므니다.
가끔 '자왈(子曰)…'로
시작하는 말을 들은 적 있지 않니?
子曰….
또….
한자라면 고갤 절레절레
흔들어도
또
어지러….
한자
엄마가 무슨 잔소리라도 할라치면
엄마, 공자님
말씀 좀 그만
하라니까요.
용돈 주려고.

어쨌거나 그들은 자신이 생각하는 이상적인 사회의 모습을 그려 보며
고민하고, 공부해 마음껏 자신의 주장을 펼쳤지.
최고야, 최고!
당연히 자신의 생각과 다른 주장을 펼치는 이들과 치열하게 토론을 벌이고
어허….
것두 그림이냐?
인간은 이러한 존재이고, 사회는 이러해야 하며,
정치는 이렇게 해야하고, 전술은 이렇게 짜야한다 등등.
그래서 이들의 자유롭고 치열한 토론과 논쟁을 '백가쟁명'이라고 해.
百家爭鳴
이때는 제후들이 널리 인재를 찾던 시대였기 때문에 이들은
구인
어디로 갈까….
오늘은 이 나라, 내일은 저 나라로 떠돌아 다니며 자신의 사상과 주장을 받아들여줄 군주를 찾아 다녔지.
토론이나 논쟁을 통해 학문과 사상은 더욱더 발전하고,
토론
땅
땅
논쟁
새로운 학설도 끊임없이 나왔지.
오오… 새롭다!
한마디로 그 혼란했던 시대가 학문적, 사상적으로는 황금기였던 셈이야.
또 만들자.

참 아이러니지? 정치적으로는 더할 나위 없이 혼란스러웠던 전쟁의 시대가 경제적으로 눈부신 발전기이고 학문적, 사상적으로는 그야말로 황금기였다는 게 말야.
땅
땅
땅
《한비자》가 탄생한 게 바로 이때야.
한비자
《한비자》는 춘추전국시대,
춘추전국 시대…
그것도 전국시대 말기에 살았던 한비 선생님이 쓰신 책이야.
말기
아참, 한 가지 빠뜨린 게 있다. '○子'는 훌륭한 선생님들을 높여 부르는 말이기도 하지만, 또 그분들이 쓰신 책이름이기도 해. 《장자》, 《맹자》, 물론 《한비자》도….
한비자
한비자는 원래 '한자(韓子)'라 불려졌는데, 한참 후에 살았던 당나라의 사상가이자 문학가였던 한유 역시 한자로 불렸기 때문에,
나도 한자 인데요….
혼동을 막기 위해 한비를 한비자로 부르게 되었지.
크흠
음… 내가 양보하지.
전국시대 말기, 그 수많은 나라들이 7개의 큰 나라들 -이들 나라를 전국 칠웅이라고 불러-로 통합되어 더욱더 크고 치열한 전투를 치르고 있었지.
전국 칠웅
각 나라끼리의 전쟁은 단순히 땅을 넓히느냐 좁히느냐의 문제가 아니라 말 그대로 생존을 건 싸움이었어.
부스럭

이러한 때 공자는
세상이 어지러워진 이유?
전통의 예가 무너졌기 때문이오.
전통의 예
질서가 잘 잡혀 있던 주나라 때로 돌아가면 됩니다.
순항이야…
인간이 지켜야 할 도덕적 수양을 통해 도덕에 따라 정치를 하면
세상이 바로 잡힙니다.
넓은 강처럼 잔잔히
임금은 임금답게, 신하는 신하답게, 백성은 백성답게 각자 예의를 갖추라고 주장했지.
맡은 바
위치에 어울리게….
묵가 대표 묵자는
나는 차별 없는 사랑이 제일 중요하다고 생각합니다.
나를 사랑하듯이 서로서로 남을 사랑하면 전쟁은 사라지고,
자기야옹
허허.. 참..
평화가 찾아올 것이라 이야기했어.
캬옹
도가 대표 노자는
인간이 만들어 놓은
도덕이니 법이니 하는 것들은 모두 세상을 평화롭게 만들기는커녕,
법
도덕
찌익
찍
문제를 더 꼬이게 만드는 것이므로
이게.. 뭐야!

그냥 아무것도 하지 말고 자연으로 돌아가 순리에 따라 살 것을 말했어.
치열한 전쟁으로 생존이 절박한 상황에서,
무시기?
위의 주장들은 멋지고 좋은 말이긴 해도
노갈
노갈
입바른 소리
노갈
현실 정치에 반영하기는 쉽지 않았지.
…시끄럽다!
실제 현실 정치에서 받아들여져 군주와 정치가에게 의해 실천에 옮겨진 주장은 법가의 사상이었어.
떠들어 봐야 소용없어!
법가로 가자!
바로, 우리 한비자의 사상이지!
법가사상
《한비자》에는 한비자의 사상뿐 아니라
후우..
상앙, 신도, 신불해 등 초기 법가 사상가들의 주장이 포함되어 있지.
둥실
상앙
신도
신불해
둥실
한비자는 이들의 영향을 크게 받았어.
모아… 모아서…
한비자
신도
신불해
상앙
서쪽 변방에 위치한 별 볼일 없던 진나라가
쑤욱
어? 쟤는 뭐지?
전국시대의 혼란을 수습하고 중국 최초의 통일 제국이 된 것도
쑤우욱
겁나게 크네….

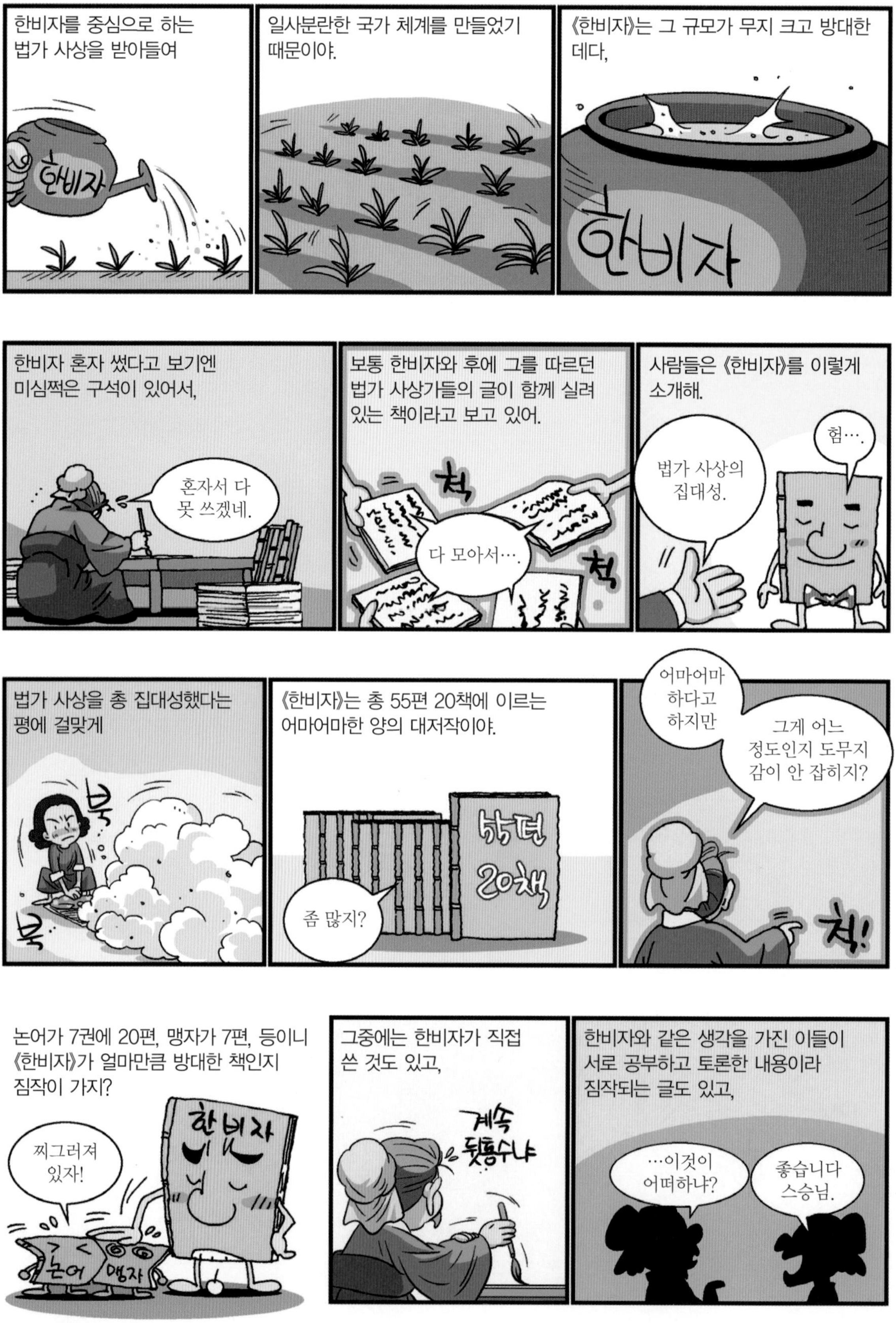

한비자를 중심으로 하는 법가 사상을 받아들여
한비자
일사분란한 국가 체계를 만들었기 때문이야.
《한비자》는 그 규모가 무지 크고 방대한 데다,
한비자
한비자 혼자 썼다고 보기엔 미심쩍은 구석이 있어서,
혼자서 다 못 쓰겠네.
보통 한비자와 후에 그를 따르던 법가 사상가들의 글이 함께 실려 있는 책이라고 보고 있어.
척
다 모아서….
척
사람들은 《한비자》를 이렇게 소개해.
법가 사상의 집대성.
험….
법가 사상을 총 집대성했다는 평에 걸맞게
북
북
《한비자》는 총 55편 20책에 이르는 어마어마한 양의 대저작이야.
55편 20책
좀 많지?
어마어마 하다고 하지만
그게 어느 정도인지 도무지 감이 안 잡히지?
척!
논어가 7권에 20편, 맹자가 7편, 등이니 《한비자》가 얼마만큼 방대한 책인지 짐작이 가지?
한비자
찌그러져 있자!
논어
맹자
그중에는 한비자가 직접 쓴 것도 있고,
계속 뒷통수냐
한비자와 같은 생각을 가진 이들이 서로 공부하고 토론한 내용이라 짐작되는 글도 있고,
…이것이 어떠하냐?
좋습니다 스승님.

후대에 한비자의 가르침을 받드는 이들이 정리한 것으로 보이는 글들도 있어.
이런 내용이 더 있었으면….
슥 슥
특히 군주들에게 올리는 글 형식이 많아.
흠…
정치를 위한 필독서구먼….
《한비자》는 초기 법가 이외에도
법가
유가, 도가, 명가, 병가, 묵가 등 백가의 사상이 광범위하게
유가
묵가
도가
토론 주제로 등장하고 있어.
오늘은 뭘 가지고 이야기해 볼까?
그리고 그들의 영향을 받은 흔적이 책 곳곳에 등장해.
난 《노자》의 해설서라 보면 돼.
해로
그래서 《한비자》는 법가 사상의 집대성일 뿐만이 아니라 유가, 도가, 법가의 세 학파를 통합했다고 평가하는 이도 있어.
한비자
유가
도가
병가
게다가 《한비자》는 수많은 이야기가 담겨 있는 '이야기 보물창고'야.
인물
고사성
그래서 《한비자》를 읽다 보면
유식하고….
똑똑해져요.
비슷한 이야기와 구절들이,
어째….
자꾸 반복돼서 이야기를 구분하기가 쉽지 않아.
계속 같은 부분을 읽는 거 같지?
아마 자신의 주장을 강조하다 보니 그런 거 같아.
중요 포인트!
이런 내용은 한번 더…!

2장에서 살펴보겠지만 한비자가 이야기를 정리할 시간도 없이 젊은 나이에 갑자기 세상을 뜨는 바람에,
이후에 여러 법가 사상가들의 이야기가 덧붙여지면서 중언부언하게 된 것이 아닌가 하는 생각도 들어.
이 내용이 있던가…?
글쎄요….
까짓 거 한번 더 넣으면 어때서?
《한비자》 목차 속으로 한번 살짝 들어가 볼까?
뜨겁겠군….
목 차
55편이나 되기 때문에 일일이 다 살펴보면 너무 많은 데다
어렵고, 재미없으니 대략의 분류로 살펴보자.
좋아요!

딱이군!

여러 편 중, 한비자가 직접 쓴 글로 보이는 것은
시황제가 보고 감탄했다던
'오두(五蠹)', '고분(孤憤)'과 '현학(顯學)' 등이야.
인간은 계산적이고 악한 심성을 지녔으니,
그럴 듯한 유가나 묵가의 주장에 현혹되지 말고,
군주는 시대에 맞는 법을 만들어 통치하되, 관리들과 백성들을
상과 벌을 통해 다스리라는 이야기야.

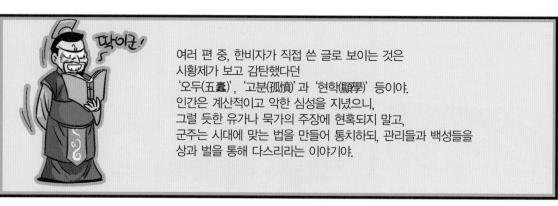

다음으로 한비자를 따르는 이들이 토론하고
강의했던 내용을 묶은 것으로 추정되는 '난(難)',
'난일(難一)~난사(難四)', '난세(難勢)', '문변(問辯)',
'문전(問田)', '정법(定法)' 등이 있어.
주로 유가 사상을 비판하고, 법가 사상가들의
여러 주장들도 부족한 점을 비판하여 수정을 한 거야.
그래서 《한비자》가 법가 사상을 집대성한 것이라는 얘기를 듣지.

이부분은 이렇게 수정하죠
좋아요 좋아

또 일종의 설화집인 '설림(說林)', '내외저설(內外儲說)', '십과(十過)' 등은 옛날부터 전해져 오는 수많은 이야기를 소개하고 있어. 물론 법가의 주장을 뒷받침하는 사례를 중심으로 모았겠지? 그 이야기들이 매우 많아서 한비자는 이야기 수집광이었나 보다고 얘기하는 사람들도 있어.

더 모을 거야.
이야기

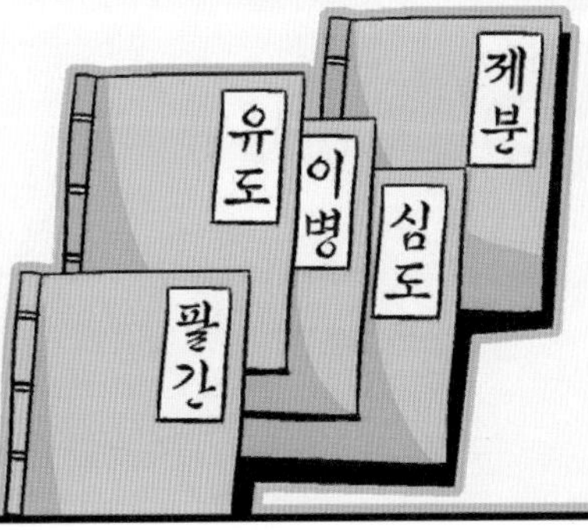
제분
유도
이병
심도
팔간

'유도(有度)', '이병(二柄)', '팔간(八姦)', '심도(心度)', '제분(制分)' 등은 한비자가 죽은 후부터 한나라 때까지의 한비자를 따르는 후배 법가 사상가들이 정리했으리라 추정하고 있어. 군주가 강력한 권한을 가질 것, 법을 어길 경우 절대 용서하지 말고, 엄벌에 처할 것을 주장하고 있지.

'주도(主道)', '양각(揚搉)', '해로(解老)', '유로(喩老)' 등은 도가의 영향을 받은 한비자 후배들의 논문이야. 이외에도 첫 장인 '초견진(初見秦)', '존한(存韓)' 등은 한비자가 등장하고 있으나 그가 직접 쓴 것이 아니라 그의 작품을 모방한 후세 법가 사상가의 작품이라고 짐작되고 있어.

뒤를 이어서

벌써부터 기대가 되지?
네!

자 이제 한비자가 어떤 인물인지
좀 더 알아보자.
와아..
와!
같이 가요!

제2장
한비자는 어떤 사람일까?

흔히 한비자는 서양의 마키아벨리와 비교되곤 해.
누구 맘대로 비교질이야!
강력한 군주의 권력, 통치 기술 등 두 사람이 내세우는 주장은 비슷한 구석이 많지.
군주
그렇게 해!
네!
또 두 사람이 살았던 시대가 여러 나라로 분열되어 있던 시대였고,
둘 다 강력한 통일국가의 건설을 목표로 자신의 주장을 펼쳤다는 것도 공통점으로 볼 수 있지.
철커…
모으자!
척
하지만 마키아벨리가 위대한 군주가 되기 위해서는 수단 방법을 가리지 않아야 한다는 주장과 그 구체적인 방법을 담았다면,
과정은 필요없어!
한비자는 정치에서의 원칙, 즉 법에 의한 통치를 주장하였다는 점에서 근본적으로 달라.
더도, 덜도 말고!
법치

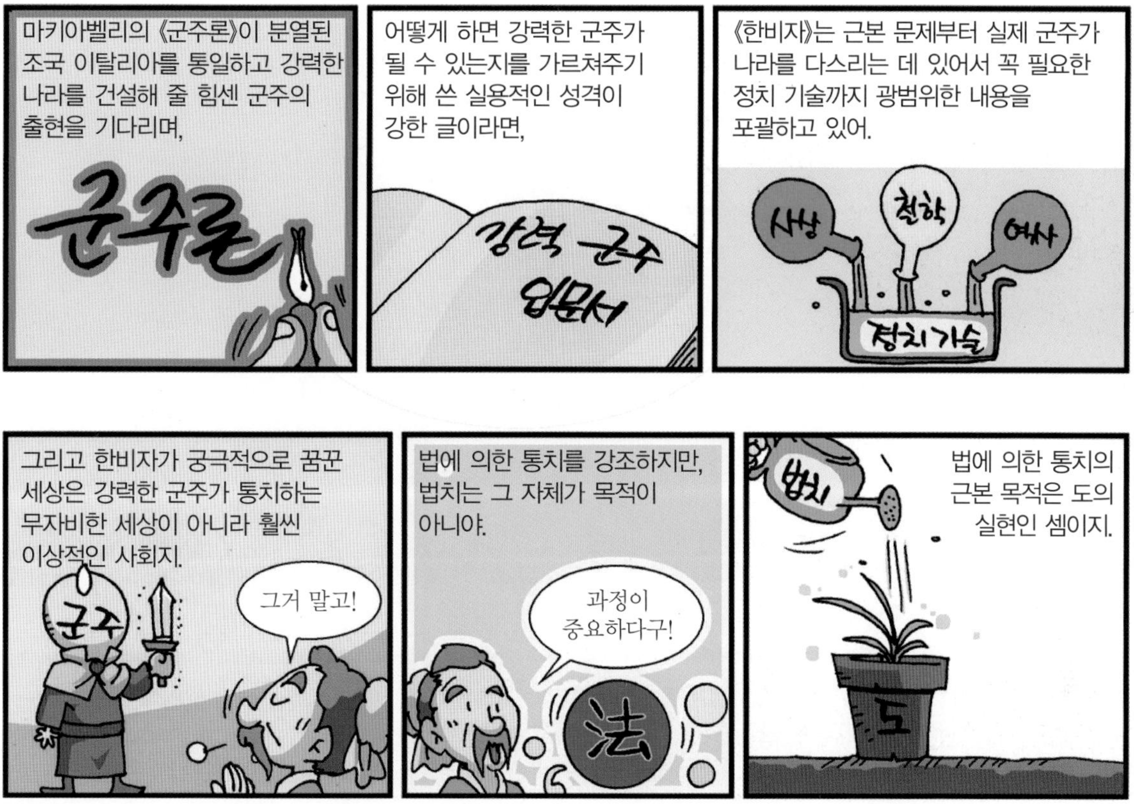
마키아벨리의 《군주론》이 분열된 조국 이탈리아를 통일하고 강력한 나라를 건설해 줄 힘센 군주의 출현을 기다리며,
군주론
어떻게 하면 강력한 군주가 될 수 있는지를 가르쳐주기 위해 쓴 실용적인 성격이 강한 글이라면,
강력 군주 입문서
《한비자》는 근본 문제부터 실제 군주가 나라를 다스리는 데 있어서 꼭 필요한 정치 기술까지 광범위한 내용을 포괄하고 있어.
사상
철학
역사
정치기술
그리고 한비자가 궁극적으로 꿈꾼 세상은 강력한 군주가 통치하는 무자비한 세상이 아니라 훨씬 이상적인 사회지.
군주
그거 말고!
법에 의한 통치를 강조하지만, 법치는 그 자체가 목적이 아니야.
과정이 중요하다구!
法
법치
법에 의한 통치의 근본 목적은 도의 실현인 셈이지.
도

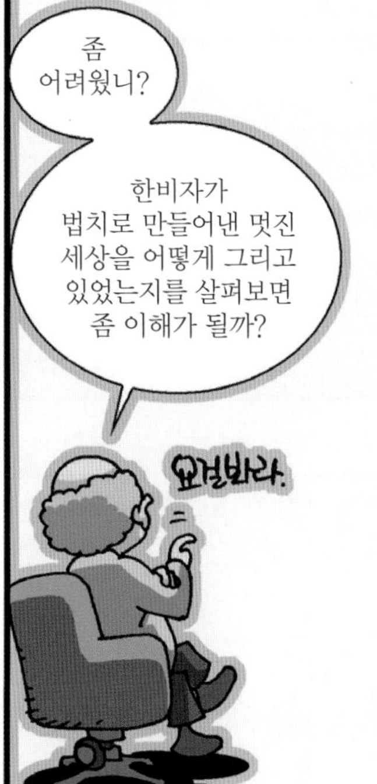
좀 어려웠니?
한비자가 법치로 만들어낸 멋진 세상을 어떻게 그리고 있었는지를 살펴보면 좀 이해가 될까?
요걸봐라.

현명하고 유능한 군주는 법과 술*을 통해
국가의 어지러움을 다스리고
상과 벌을 통해 잘잘못을 판별하며
저울로 달아 물건의 무거움과 가벼움을 분명히 가려내기에,
하늘의 순리와 법칙에 역행하지 않으며
사람의 본성을 상하게 하지 않고 지켜내게 한다.
지극히 평화로운 세상에서 법률은
아침 이슬처럼 사람들의 마음을 흐뭇하게 만든다.
사람의 마음은 너무나 순박하여 서로 원한을 가지는 일이 없고,
그들의 입에서는 갈피없이 어수선한 말이 새어나오지 않는다.

이처럼 천하가 잘 다스려지면 전쟁이 일어날 이유가 없으므로
싸우기 위해 먼 길을 달려 말과 수레가 지치는 일이 없고,
양쪽의 군대 깃발이 싸움터에서 어지러이 펄럭일 일도 없을 것이다.
백성들이 전쟁터에서 싸우다 죽게 되는 일도 없고,
무력이 뛰어난 사람이 자신의 군대 깃발 아래서 싸우다
다치는 일도 없다. 〈대체〉

***법과 술(法術)** : 통치술–9장 10장에서 자세히 다룸.

너무나 평화로운 세상이지? 법이 사람들의 마음을 흐뭇하게 하고 사람들은 너무나 순박하여 서로 원한을 사는 일이 없고 전쟁도 없는 사회….
여기가
무릉도원이여~
그 치열한 전쟁 시기를 살았던 한비자의 꿈을 떠올리니 가슴이 아프네.
킁
앙~
선생님….
한비자는 이러한 세상을 어떻게 만들어갈 수 있다고 생각했을까?
..진정 할게
앞으로 《한비자》 책의 내용을 하나하나 살펴보면 이해할 수 있을 거야.
한비자
휴… 길다….
그전에 본격적으로 한비자가 누군지 알아볼까?
Who am I?
사실 한비자의 생애에 대해서는 기록이 많지 않아.
기록이 별로….
사마천의 《사기》 '노장신한열전'에 약간의 기록이 있을 뿐. 언제 태어났는지도 정확하지 않을 정도야.
사기
노장신한열전
대략 기원전 3세기 초, 기원전 280년경으로 추정되고 있어. 이때는 전국시대 말기에 해당하는 시기지.
전국시대
B.C 280
한비자는 지금 호남성 서부에 있던 한(韓)나라 왕의 아들이었대.
왕의 아들이라고는 해도 어머니가 천한 신분 출신이라서 왕실에서도 별로 대우받지 못하는 처지였지.
무늬만 왕족!
천해!
우..울 때
또 다른 책에는 그냥 명문 귀족의 후예였다는 기록도 있어.
왕족? 에이~ 아니에요.
음성변조 되는 거 맞죠?

어쨌거나 차라리 가난하고 평범한 집에서 태어나 사랑 받는 귀한 아들로 자란 것보다 훨씬 불행했는지도 몰라.
어이쿠… 내 새끼….
아빠, 아빠!
왕실에는 수많은 왕자와 공주들이 있었을 터, 그 속에서 어디 하고 싶은 말이나 제대로 할 수 있었겠어?
웅성
웅성
왕족 집합 (서열순)
너도 왕족이냐?
그래서였는지 한비자는 심한 말더듬이였대.
제… 제… 이… 이름…름….
지진 났냐?
의학적으로 보면 말을 더듬는 것은 심리적, 환경적인 원인이 가장 크다고 해.
어… 어
네가 무슨….
왕족이냐?
대부분 5살 이전에 시작되는데, 그 시기 환경과 거기에서 비롯된 이상심리가 가장 큰 요인이라고 해.
어… 엄마….
꺄아… 엄마래요!
쟤가 올해 10살 이오!
그러니 한비자의 어린 시절, 왕실에서 받았던 심리적인 압박이 적지 않았으리라 짐작이 가지?
천한것
천한것
천한
한비자가 태어났던 한나라에 대해서도 좀 살펴볼 필요가 있겠지?
한
슥
슥
한은 전국 칠웅에 속한다고는 하지만, 가장 국토도 작고 별 볼일 없는 나라였어.
쬐그만 게….
지리적으로 중국의 한가운데 자리하고 있어서 새로이 개척할 지역이 있는 것도 아니고,
연
조
고조선
진
위
제
한
초
이거… 한가운데에 서….
힘이 있으면 주변으로 맘껏 뻗어나갈 수 있겠지만,
뿅
뿅
다 비켜!
힘이 약하면 사방에서 공격을 받아 샌드위치 신세가 될 수밖에 없는 위치였지.
우~ 숨막혀!

그 시절 동쪽으로는 제나라,
북쪽으로는 위나라,
요리 보고….
위
제
한
귀여워….
남쪽으로는 초나라, 그리고
서쪽으로는 막강 진나라가 버티고
있어 한 시도 편할 날이 없었던,
진
초
조리 봐도….
한
뭘 봐 인마!
영토는 사방 천 리도 못되는
약소국….
한
내가 뭘….
훌쩍

무엇보다도 무서웠던 것은 호랑이 같은 진(秦)나라였어.

한입거리도 안 되네….

나중에 살펴보겠지만 진은 원래
중국 변방의 별 볼 일 없는
나라였는데,
촌놈 무시하지 마라!
상앙이란 인물이 재상으로
등용되어 철저한 법체계를 갖추는
등
됐어!
법체계 완본

두차례에 걸친 대대적인 개혁을 통해
전국시대의 가장 강력한 나라가 되었지.
진
무시하지 말랬지?
재… 뭐…냐?!
상앙은 한비자에게도
큰 영향을 미친 인물이야.
상앙
막강 전력을 자랑하는 호랑이 같은 진!
턱!

이제 전국시대의 최강자의 위치에서 만족하지 않고 바야흐로 중원의 통일을 목표로 삼고 있던 진에게, 첫 번째 희생물은 바로 이웃한 약체 한나라가 될 수밖에 없었어.

고것 참… 뼈째 먹으면…!
진
한
나 맛 없다니깐….

반면에 한나라는
법률과 제도를 정비하여 인재를 등용하고 권력을 장악하여 부국강병에 힘쓰기는커녕,
싸움질 좀 그만하고….
유교 경전이나 들먹거리는 이들을 높은 자리에 앉히고,
공자왈.
맹자왈.
너 재상!
너도 재상해.
힘깨나 쓴다는 무리들이 법을 무시하고 나라의 질서를 어지럽히고 있는 형편이었어.
으악!
질서?
개나 줘 버려!
악!
바람 앞의 등불과 같은 운명에 처한 조국.
추… 춥다….
젊은 한비자는 이러한 조국의 현실에 절망하며, 진나라의 부국강병을 이끈 상앙이나 신불해 등의 사상과 정책에 깊이 빠져들었어.
공부 한다….
마침내 결단의 시기,
간
다
광
광
안
간
다
광
그는 넓은 세상에서 더 큰 가르침을 얻고자 당시의 대표적인 유학자 순자를 찾아 조국 한나라를 뒤로 하고 유학을 떠났지.
일단… 가보는 거얏!
젊은 한비자의 발길이 머문 곳은 바로 제나라의 직하였어.
WELCOME TO
직하
턱!
제나라에서는 인재를 구하고자 선왕 때에 직하라는 곳에 왕립 학교를 세웠거든.
왕립학교
나라에서 지원을 아끼지 않았기 때문에 수많은 인재들이 그곳에 모여 자유로이 학문을 연구하고 토론하며, 배움을 주고 받았지.
한마디로 제자백가의 요람이지.
아… 좋아!
제자백가

맹자도 한 때 이곳에서 상대부의 지위에 올라 학문을 가르치고 연구했어.
學問
한비자가 이곳을 찾을 무렵에는 순자가 상대부로 이곳에서 머물며 연구하고 가르치고 있었지.
스승님!
순자의 제자 중에는 나중에 진의 재상이 되는 이사도 있었어.
이사라 하네.
우리 친구하자.
한비자는 아주 뛰어난 학생이었지.
잘했다.
이사조차도 자기보다 한비자가 더 뛰어나다는 것을 인정했을 정도니까.
나보다 더 뛰어난 녀석이라니….
나중에는 결국 이 때문에 이사의 질시를 받아 죽게 돼.
한비자의 스승 순자는 공자, 맹자의 뒤를 이은 대표적인 유가 사상가지.
공자
맹자
순자
잘해라!
너도!
유가인 순자와 법가인 한비자는 입장이 다르긴 하지만,
유가
법가
나랑 틀린 색이네….
한비자는 인간의 본성에 관한 순자의 견해를 적극적으로 받아들였어.
…그리 알라!
예, 명심하겠습니다.
인간의 본성이 선한가? 악한가? 성선설, 성악설을 들어본 적이 있을 거야.
사람의 본성은 원래 태어날 때는 착하다는 성선설을 주장한 맹자에 비해,
착하게 태어나지.

순자는 인간의 본성은 태어날 때부터 본래 악하다는 성악설을 주장했지.
악하게 태어난다니까….
한비자는 인간이 원래 태어날 때부터 악하다는 스승의 성악설을 받아들여
인간 본성이 그리 악하다면….
그 바탕 위에서 자신의 사상을 출발시켜.
① 스승의 가르침
② 도덕적 교육
저 정도론 문제 해결이 안돼!
스승 순자의 학설뿐만 아니라 여러 학파의 학설을 수용하거나 비판하면서 자신의 독자적인 학문 영역을 완성해 나갔어.
섞어… 섞어서!
슥
슥
인간, 세상, 그리고 정치. 때가 때인지라 '부국강병'을 위해서는 어떻게 세상을 다스려야 하는가가 중심 주제였지.
열공!!
부 국 강 병!!
갈고 다듬고 정리한 자신의 학설을 들고 한비자는 드디어 자신의 조국 한나라로 돌아왔어.
여기부터 한나라
나, 돌아왔노라!
이제 자신의 신념을 현실 정치에서 실현할 방도를 찾아야겠지?
씨앗은 준비가 됐는데….
그러기 위해서는 무엇보다 왕에게 인정을 받아야 했어.
다음!
결제
물 흐르듯 유려한 언변이 있었다면 왕이 한비 선생님의 말에 귀를 기울였을 텐데….
부럽당….
좔좔
알다시피 아쉽게도 한비자는 말을 심하게 더듬었지.
연습하자!
대…대대… 대왕….
휴우
그래서 오직 문장으로만 자신의 의견을 올렸지.
안 되겠다.
척!

그의 문장은 말보다 훌륭히 예리하게 현실을 진단했고, 간절한 바람을 담고 있었어.
오오~ 훌륭하다!
하지만 그의 충심 어린 의견은 받아들여지지 않았어.
그렇지만 가져가.
에?
무엇보다 한나라의 권력을 장악하고 있던 수많은 중신들의 집중 견제를 이겨낼 수도 없었고,
속닥
속닥
왕 역시 서자 출신의 말더듬이 한비자의 의견을 대수롭지 않게 여겼지.
출신 성분이….
No!
'고분', '오두', '정법', '현학' 편에는 이때 한나라 상황과, 이로 인한 한비자의 절망과 비분이 가득 담겨 있어.
고분
두
정법
요직을 차지하고 있는 인물(중인)이 정권을 장악하게 되면,
중인
권력이 짱!
군주에게 충성하고 나라 일을 돌보는 것이 아니라,
이게 급한 게 아냐.
중인
나라일
퉁
개인의 일을 우선시하게 돼.
중인
그래… 거 내 명의의 땅 말야.
또한 중인이 군주 앞에 턱 버티고 있어서,
일단 정지!
중인
접근불가
그를 통하지 않고는 군주에게 자신의 의견을 잘 전달하기는커녕 접근할 수조차 없어지지.
중인
이거 없어?
타국의 제후조차 그 나라와 친교를 맺으려면 요직에 있는 그들에게 아첨을 해야 하니
선물이에요.
그려 그려.
중인
결국 군주의 눈과 귀를 가리게 되지.
좋구나!

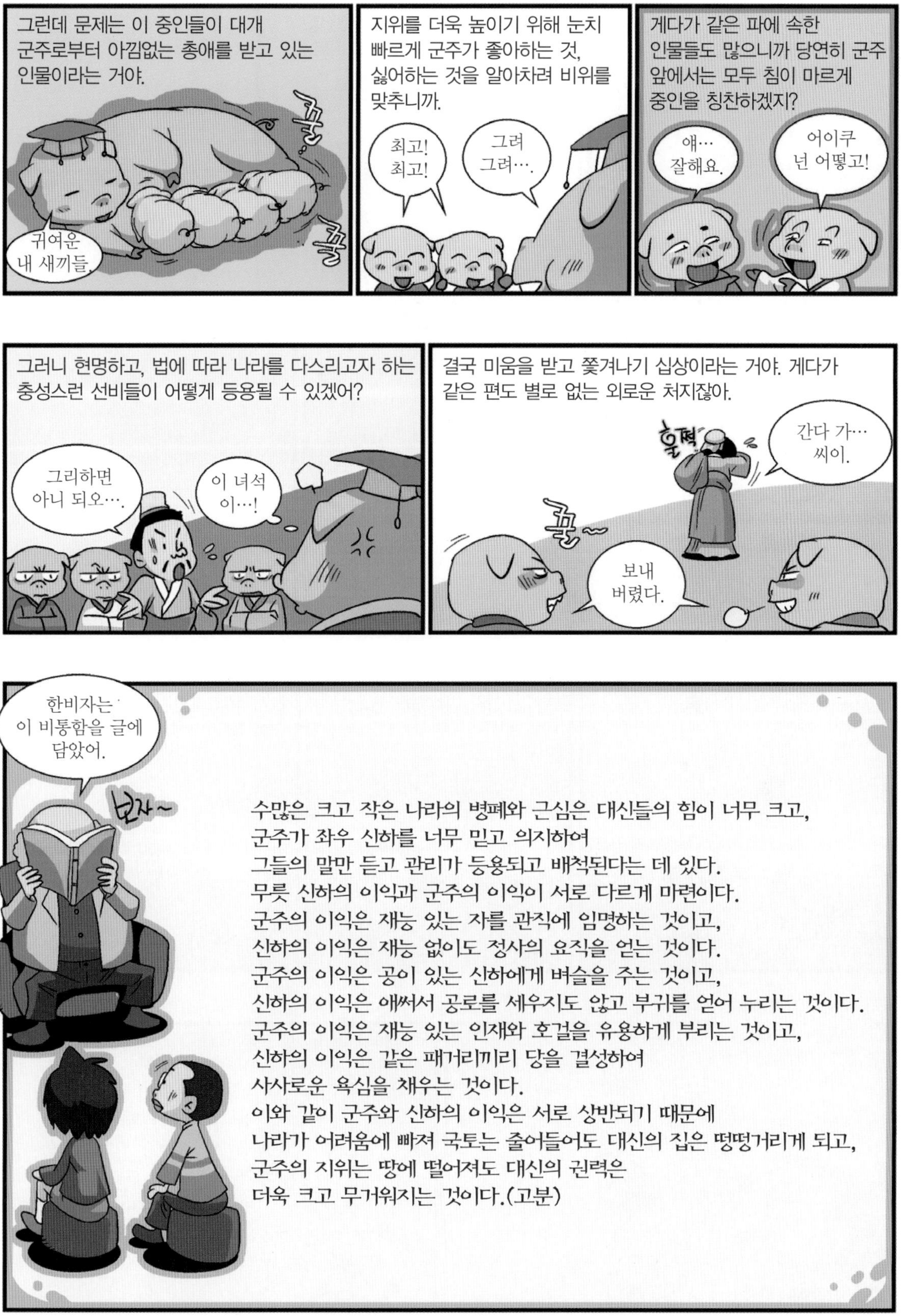

그런데 문제는 이 중인들이 대개 군주로부터 아낌없는 총애를 받고 있는 인물이라는 거야.
쿨
쿨
귀여운 내 새끼들.
지위를 더욱 높이기 위해 눈치 빠르게 군주가 좋아하는 것, 싫어하는 것을 알아차려 비위를 맞추니까.
최고! 최고!
그려 그려….
게다가 같은 파에 속한 인물들도 많으니까 당연히 군주 앞에서는 모두 침이 마르게 중인을 칭찬하겠지?
애… 잘해요.
어이쿠 넌 어떻고!
그러니 현명하고, 법에 따라 나라를 다스리고자 하는 충성스런 선비들이 어떻게 등용될 수 있겠어?
그리하면 아니 되오….
이 녀석이…!
결국 미움을 받고 쫓겨나기 십상이라는 거야. 게다가 같은 편도 별로 없는 외로운 처지잖아.
훌쩍
간다 가… 씨이.
쿨~
보내 버렸다.
한비자는 이 비통함을 글에 담았어.
보자~
수많은 크고 작은 나라의 병폐와 근심은 대신들의 힘이 너무 크고,
군주가 좌우 신하를 너무 믿고 의지하여
그들의 말만 듣고 관리가 등용되고 배척된다는 데 있다.
무릇 신하의 이익과 군주의 이익이 서로 다르게 마련이다.
군주의 이익은 재능 있는 자를 관직에 임명하는 것이고,
신하의 이익은 재능 없이도 정사의 요직을 얻는 것이다.
군주의 이익은 공이 있는 신하에게 벼슬을 주는 것이고,
신하의 이익은 애써서 공로를 세우지도 않고 부귀를 얻어 누리는 것이다.
군주의 이익은 재능 있는 인재와 호걸을 유용하게 부리는 것이고,
신하의 이익은 같은 패거리끼리 당을 결성하여
사사로운 욕심을 채우는 것이다.
이와 같이 군주와 신하의 이익은 서로 상반되기 때문에
나라가 어려움에 빠져 국토는 줄어들어도 대신의 집은 떵떵거리게 되고,
군주의 지위는 땅에 떨어져도 대신의 권력은
더욱 크고 무거워지는 것이다.(고분)

한비자의 학설에 관심을 기울인 건 오히려 한나라를 위협하고 있던 이웃 강국 진나라였어.
한
먹고 싶다.
전국 칠웅 중에서도, 중원의 패권을 차지할 가장 유력한 주자로 떠오르고 있던 진나라,
쿵~
진
초
연
제
한
조
위
후에 최초의 통일제국을 건설하고 스스로 최초의 황제, 즉 시황제(始皇帝)가 된 진왕 정(政)은
한비자의 책 중 '고분'을 읽고 무릎을 쳤다고 해.
이거야, 이거!
고분
앞에 말한 글이 바로 《한비자》의 '고분'에 나오는 구절이었거든.
이 책이야말로 내가 찾고 기다리던 책이다.
이사
이 책을 쓴 자는 한비라고 하는 사람입니다.
고분
지난 날, 순자 밑에서 한비자와 함께 공부했던 이사는 진왕이 가장 총애하는 재상이 되어 있었어.
이사 역시 정치에 대한 생각이 한비자와 같았지.
법가 사상
이사
한비
이사는 상앙 이래 법가 사상을 채택하여 승승장구하고 있었던 진에서
컴온!
me?
진
크게 등용되어 자신의 생각을 현실 정치로 펼쳐가고 있었던 거야.
재상
내가 이 사람을 만날 수만 있다면 죽어도 여한이 없겠다.
그렇게 만나보고 싶으시다면 한을 공격하십시오.
한나라에서는 분명 한비를 사자로 보낼 것입니다.
한비 말야
예상했던 대로 한은 진왕이 호감을 가졌다는 소문이 파다했던 한비를 사자로 보내 화해를 요청했어.
아, 왜~
한비 불러 줄게요.

드디어 한비자는 자신의 팬이었던 진왕을 만났지.
어서 오시오!
그렇게도 기대하던 한비자와의 만남이었지만,
진왕은 한비자의 더듬는 말투에 크게 실망했다고 해.
소…소소 소인…이.
뭐야 이거….
곁에 있던 이사는 진왕에게 한비자를 만날 계책을 일러주고 만남을 주선하기까지 했지만,
말씀하시는 게 어째….
네… 조…좀.
왕이 자기 대신 한비자를 더 총애하게 돼서,
저 놈….
자신의 지위가 위협 당할까봐 두려웠지.
내 밥그릇을 노릴지도 몰라!
이사는 진왕이 한비자에 대해 실망한 낌새를 놓치지 않고 진왕에게 말했어.
아… 한비… 골치 아프구나.
크응~
대왕!
뭐냐?
한비는 한나라 왕실의 공자입니다.
그는 자기 나라를 위해 이곳에 왔고, 앞으로도 자신의 나라를 위해 일할 뿐,
진에 충성을 다하지는 않을 것입니다. 이대로 돌려보내면 한비는 자신이 정탐한 우리나라의 사정을 알려줄 것입니다.
후환을 없애야 합니다.
절대로 고이 돌려보내면 안 됩니다.

이 말에 흔들린 왕은
한비자를 옥에 가뒀지.
내가 뭘….
그래도 불안하다.
이사는 옥으로 독약을 보냈어.
왕을 한 번만 만나게….
따끈할 때 먹어!
사약
끝내 한비자는
먼 이국 땅, 차가운
적국의 감옥 안에서,
원샷 해라!
한때 한 스승 밑에서 공부하며
토론하고 함께 학설을 가다듬었던
친구에 의해
독약을 마시고 그 비극적인 삶을 마쳐야
했지. 그때가 기원전 233년.
후우우~
시황제는 뒤늦게 자신이 저지른 일을 후회하고
한비자를 찾았지만 이미 때는 늦었던 거야.
이… 이런 일이!
한비자가 죽은 지 3년 뒤
한은 진에 의해 멸망했고
콱
진
한
그로부터 또 10년 뒤 진은
전국시대를 통일하고 최초로
중원 전체를 호령하는 통일
제국이 되었지.
전국시대 통일
못 먹은 데 없지?
진
한비자는 비록 진에서 죽음을
당했지만 그의 사상은 진시황제의
통치 원칙으로
실시!
한비자
전국시대 통일의 바탕이 되었고,
최초의 통일 제국 진의 정책
역시, 여기서부터 비롯되었다고
해도 과언이 아냐.
좋은 씨앗이다.
한비자

진나라는 전국을 군과 현으로 나누고
군
현
현
황제가 직접 임명한 관리가 파견되어 다스렸지.
네가 해봐라.
존명!
전국시대 나라마다 달랐던 화폐, 도량형, 문자와 사상 또한 통일되었어.
우리가
화폐
도량형
문자
사상
표준!
스탠더드
이제 법은 중국 전역에서 지켜져야 하는 것이 되었지.
법
예외는 없다!
농업이나 의학서 등의 실용서 외에 사상서는 불태워졌어.
분서
정치가 옳으니 그르니 논평을 일삼던 유학자들은 산 채로 파묻혀 버렸지.
두껍아 두껍아~
저… 철없는 것.
갱유
타국에서 독살당한 한비자의 삶이
가슴이 아프다고?
끄덕
끄덕
그래, 그렇지. 그런데 이렇게 생각해 볼 수도 있지!
한비자의 일생이 별 굴곡 없이 평탄했다면 현실에 뿌리박은 단단한 사상이 나올 수 없었을지도 몰라.
통
통
안착할 곳이 없네.
온실 속에서 자란 화초는 온실만 벗어나면 금방 시들어 버리지만, 차가운 비바람 맞으며 자란 들풀은 웬만한 시련에도 꿋꿋하게 꽃을 피운다는 것. 한비자의 일생과 그의 책 《한비자》도 이에 비유할 수 있지 않을까?
이제 본격적으로 《한비자》 속으로 들어가 한비자의 학문 세계를 만나보도록 하자.
그럼 떠나 볼까?
꾸물
꾸물

제3장
말하기와 설득하기의 어려움
안녕, 난 한비!
그냥 한비 선생님이라고 불러줘.
사실 내가 나의 주장을 펴고, 이 책을 쓴 때는 이미 수천 년이나 지나서
한비자
by 한비
이웃 나라에 살고 있는 너희들이 내 책에 관심을 가지게 되리라고 꿈에도 생각하지 않았는데….
아마 좀 어려운 부분도 있을 거야.
그래서 내가 특별히 타임머신을 타고 이곳까지 날아왔지.
가자 미래로!
2009
내 책에 관심을 가진 기특한 어린 친구들에게 좀 더 쉽고 친절하게 내 생각을 들려주기 위해서 말이야.
와아…
궁금한 게 있으면 언제든지 물어도 좋아.
그리고 내 생각과 다른 점이 있다면 자기 주장을 적극적으로 펴는 것도 대환영이야.

이번 장에서는 일단 《한비자》 맛보기 정도로 출발해 볼까?
남겨 줄게.
내가 살았던 시대나 너희들이 살고 있는 시대나 모두 적용되는 것.
동서고금을 막론하고….
또….
바로 '말하기, 설득하기'에 대한 이야기로 말이야.
재밌다 재밌어.
살아야 해….
사실 《한비자》에는 어려운 정치 얘기만 쓰여 있다고 아는 친구들이 있는데,
갈비 드세요!
놀리냐?
생각보다 이런 말랑말랑한 주제도 더러 등장한단다.
홍시 드세요.
오냐, 오냐..
《한비자》 제1편 난언*, 10편 설난은 말하기 · 설득하기의 어려움에 대한 이야기야.
난언
설난
말로 다른 사람의 마음과 생각을 움직이는 것은
내 밑으로 와라. 응?
정말 생각보다 쉽지 않지.
별….
내가 알고 있는 너무나 분명한 사실을 열정적으로 이야기해도
이 제품은…
신품
상대방은 들은 척 만 척한다든지,
….
영 말도 안 되는 고집을 부려 정말 속 터질 때도 있고,
100원이면 산다!

*난언(難言) – 말하기의 어려움.

또 난 그런 뜻으로 말한 것이 아닌데 전혀 엉뚱하게 이해해서
내가 도시락 두 개 싸왔어.
내가 생각한 것과는 정 반대의 결과가 나타난다던지.
그래, 우리집 가난해!
심지어는 오해를 사서 상대방과 영 사이가 갈라지는 경우도 있고
다신 안 봐!
탁
탁
그… 그게 아니라….
긁적
내게는 부끄럽고 엄청난 콤플렉스였지만 너희들에게는 솔직히 말할게.
지금은 이렇게 멀쩡해졌지만 사실, 난 원래 말더듬이였단다.
알고 있어요. 2장에서 봤어요!
아 그랬었지.
허허
그래서 난 말하는 게 특히 두려웠어.
말하지 말자!
찌익
그런데 사실 자신의 의견을 말하기만 한다면 두려워 할 게 뭐가 있겠니?
내 의견을 말하는 것 자체가 두려운 건 아니지.
혼자서 중얼거리고 끝나는 게 아니라,
중얼
중얼
비 맞은 중?
말이라는 것은 듣는 상대가 있게 마련이야.
저….
이 말을 할까 말까 자꾸 주저하게 되고,
저기….
이쁜 건 알아 가지구.
뭐죠?

결국 경솔하게 말하면 안 되겠다 하는 생각이 들어 입을 다물게 되는데 이것은
아…
아무것도….
휴~
어머, 무슨
남자가….
듣는 쪽이 어떤 태도로 나올까 하는 점 때문이지.
스타킹
구멍 났는데
….
바보
….
듣는 쪽에서 오해를 한다거나 혹은 내 얘기를 듣고 지나친 비약을 한다든지 하는 경우에는
그
김 사장
말이야….
….
내가 아무리 진심을 담아 열심히 말해도 상대방의 마음을 움직이지 못하게 되니까.
욕 하더라
니까.
뭐?
오해를 사서 사이가 틀어지기도 하고,
다신 당신
안 보겠소!
아니
왜…?
심지어는 오해로 인해 목숨까지 위협받았던 당시에는 말하기가 더욱 어려운 일이었지.
왜…
나를…!
그 입이
화근이라
여겨라!
선생님, 그럼
말 잘하는 방법 좀
가르쳐 주세요.
야! 말하는 걸
두려워해서 글로 쓰는 것을
좋아한 선생님께 말하는
방법을 가르쳐 달라면
어떻게 해?
그런가?
허허
내가 실전에는
약하지만 이론에는
강하다고!
한 수
배워 볼래?
네!

말 잘하는 법!
첫째,
상대방의 마음을 거슬리지 않고 질서 정연하며 시내물이 흐르듯 유창한 말은 듣기에는 그럴 듯하여 재미가 있을지 모르지만, 꽃이 화려하게 피어도 그 열매를 맺지 못 하는 것처럼 실속이 없다. 지나치게 말을 잘하기 때문에 그다지 믿음이 가지 않아 오히려 사람의 마음을 움직이지 못하는 결과를 가져 온다.(난언)
너무 말을 잘하면 그렇잖아.
여자 꼬시기는 말야.
좔 좔
이런 경우 많지.
좔좔
재는 말 뿐이야.
도무지 믿음이 안 가.
오히려 어눌함이 사람의 마음을 움직이는 힘이 있을 때가 있어.
아, 제가요….
흥… 어눌하긴
그럴 땐 너무 말을 잘하는 것이 오히려 감점 요인이 되는 거지.
좋아요. 차 한 잔 해요.
말을 잘 못해요.
말도 안돼!
원래 사기꾼들은 대부분 그럴 듯하게 말을 잘하잖아.
친구야, 여기 사인….
아… 찝찝하다.
계약서
수줍어 말도 잘 못하는 사람을 보면 도무지 남을 속일 것 같지 않고 오히려 진실해 보이지.
웃기죠?
하하
…
10점 만점에 9점!
무슨 말인지 알겠죠?
네, 선생님!

둘째,
잘 알려진 옛사람의 말을 인용하고 여러 가지 사례를
많이 들어 화려하게 비유가 많으면
들을 때는 그럴싸하게 생각하겠지만 실용성은
없다고 한다. 그와는 반대로 핵심만 말하고
요점만 간추려 다짜고짜 본론부터 시작하며 그 밖의
다른 설명을 모두 생략하여 말을 꾸미지 않으면,
말하는 기술이 빈약하다는 말을 듣게 된다.(난언)
왜 그런 적 있지?
자연환경 보존의 중요성은 말야….
얘기하는 친구가 이러저러한 사례까지 동원해가며 너무나 박식하여 들을 때는 쏙 빠져드는데,
어쩌구
람사르가….
생태 환경이….
저쩌구
와
듣고 나면 무슨 얘길 들었는지 영 생각나지 않을 때.
무슨 얘기니?
몰라!
말 그대로 알맹이는 앙상하고 주변 장식만 화려한 거 말이야.
땅콩 하나 있네!
그래서 들은 이야기 군데군데는 기억나는데 핵심이 뭔지는 기억이 안 나는 거지.
부르르
무식한 녀석들!
재미 없네!
또 반대로 얘기를 한 마디로만 정리해서 결론밖에 없는 경우.
환경 보호!
꼭 무슨 구호 같잖아?
환경보호!
재 좀 무섭다.
그러니까…
그런 식의 화법 역시 적절하지 않아.
훌쩍
또… 혼자다!
중요한 것은 내가 말하고자 하는 핵심이므로 가장 적절하고 감동적인 사례를 들어서
살 수가 없네….
내가 이야기하고자 하는 핵심에 설득력을 더하는 것이 말 잘하는 방법이지.
우워어어
지구 온난화는 누구 책임이냐!

그런데 아무리 좋은 얘기를
들어도 소 귀에 경 읽기 같다가,
이러쿵..
저러쿵
쿵~!
평소 아주 친한 사람, 충분히 신뢰를
받고 있는 사람이 딱 한마디만 해도
친구야~
OK!
바로 통하는 경우가 많지.
나랑 같이 하자!
어떻게 내 말을 딱 아니?
그렇기 때문에 상대방을
설득하기 위해선 먼저
신뢰를 쌓는 것이 중요해.
네 눈빛만 봐도 알 수 있어.
옛 은나라의 시조 탕왕은 너무나 현명한 성군이었어. 그의 재상
이윤 역시 지혜가 가장 뛰어난 사람이었고.
탕왕
이윤
현명한 왕에 지혜로운 재상이라.
척하면 척이지 않았을까?
휙
왈~
그런데 그렇지도 않았나 봐.
어쩌라구!
그 지혜로운 재상이 자기의 뜻을, 역시
지혜롭고 현명한 탕왕에게 설득하려 했다면
바로 통하였을 텐데, 그게 쉽지
않았다는 거야.
대왕….
피곤하다. 다음에….
70번이나 이윤이 탕왕을 설득하려 했지만
왕은 받아들이지 않았단다.
대왕.
지금은 결재 중이야!
이윤은 할 수 없이 요리를 열심히 배웠대.
대왕님의 입맛을 잡자!
다다다다

바로 훌륭한 요리사가 되어 탕왕에게 다가간 거지.
훌륭한 요리로 친해진 다음에야
이거야 이거!
왕은 그의 말에 귀를 기울이고 등용하게 되었다는 거야.
너 잘한다!
식탐이 강하셔….
이윤처럼 최고의 지혜를 가진 사람이, 탕왕처럼 최고로 지혜로운 성인을 설득한다 해도
말로만 설득되는 것은 아니었지.
침 튄다!
지혜로운 사람들의 만남이니 만큼 척하면 척하고 알아들었을 법도 한데 말이야.
도~미~솔~
그러니 내가 아무리 지혜가 있다고 하더라도 상대가 어리석은 사람이라면
하루 한 개야!
그 사람에게 자신의 참뜻을 인정받는다는 것은 정말 어려운 일 아니겠니?
황금알이 없어….
미련한 놈!
그러니 상대방의 마음을 움직이기 위해서는 일단 상대방에게 신뢰 받을 수 있는 관계를 만들어라 이런 말이지.
아무리 좋은 의견이라도 듣는 상대의 생각과 다르기 때문에
하하…
육류는 콜레스테롤을 유발….
동냥
상대방은 들은 척도 않거나
채식을 합시다. 유기농으로!
심지어는 박해를 받는 경우까지 있지.
아 글쎄! 당장 먹을 것도 없어!
악!

그러니 사람에게 어떤 식으로
다가가야 하는지,
저 이런
사람입니다.
또?!
그 요령을 파악하는 것이
무엇보다도 중요해.
일자리가
필요하시면
연락주세요.
오옷…!
노숙 탈출!
이런 사람에겐 이런 식으로,
저런 사람에겐 저런 식으로!
각자에 맞는 방식으로 설득해야
한다는 거지.
카리스마가
짱이에요.
어머
훈남스탈이셔.
그러기 위해서는 상대방의 생각을
미리 간파하는 것이 필요하지.
흠!
뭐야
이거…!
그런데
이때 주의해야
할 점,
겉 다르고
속 다를 수도
있다는 것.
이것이
내가 생각하는
말 잘하기,
설득 잘하기의 세 번째
비법이야.
척!
자기가 설득하려는 상대방이 의(義)를 중히 여기며
명예를 얻고자 하는데 이익을 얻는 일만을 강조하면
상대방은 설득하려는 자가 천박하다고 생각하거나, 오히려 자신을
비천한 사람으로 평가하고 있구나 생각하여 그 의견을 듣지 않게 된다.
반대로 어떤 군주가 겉으로는 의를 중요시하는 척하고 있지만, 사실
마음속으로는 국가의 물질적 부를 중시하여 이익을 얻는 일에만 관심을
기울이고 있는데, 그 사람 앞에서 의에 대한 얘기만
늘어놓으면 겉으로는 그 의견을 받아들이는 척하지만
속으로는 거절하게 되는 것이다.(설난)
예를 들어 일제에
나라를 팔아먹은
이완용이
어허…
초상권!
감옥에 있는
유관순
열사에게 가서
다시는 만세
부르지 말고
잘못했다고 빌어.
그럼 넌
부자가 되어 평생
호의호식할 거야.
만세!
자꾸 그래봐야
너만 손해야.
죽으면
다 필요 없어.

나를 봐. 일본에 협력한 덕에 이렇게 잘 살고 있잖아.
아마 자손 대대로 잘 살걸!
하하하
라고 얘기한다면
더러운 놈!
퉤!
이라는 욕과 함께 침 세례밖에 더 있겠어?
더럽게…!
가… 가래침을…!
아마 유관순 열사는 나라를 팔아 호의호식하는 걸 무기로 자기를 설득했다는 것 자체가, 마치 자기를 그렇게 천박한 존재로 취급한 것 같아 너무나 불쾌하고 분노했을 거야.
내… 죽을지언정!
완용이 바보!
또 어떤 사람은 오로지 돈밖에 모르는 베니스의 상인 샤일록 같은 인물인데,
회장님과 인터뷰를 하겠습니다.
어떻게 사는 것이 보다 옳게, 의롭게 사는 것인가요?
그거 돈 되는 거요? 아님 됐고!
왜이래 아마추어같이!
돌아올 말은 뻔하지.
가자!
부웅
난 기분 나쁠 뿐이고….
또 어떤 사람은 결과만 좋으면 과정은 어떻더라도 상관없다고 생각하여,
성공을 위하여!
정말 수단 방법을 가리지 않는 이가 있는데,
할 수 있는 건 모두!
아첨
뇌물
편법
모략
성공으로 가는 길
결과보다는 과정이 중요해요. 무엇보다 성실하게 노력하는 자세가 큰 재산이지요.
라고 얘기한다면
헉헉
무시기?
힘들어 죽겠는디…
그래, 니 잘났다. 너나 그렇게 살아. 난 출세할 거거든.
흥!

또 혹시 모르지. 겉으로는
그럼요, 그렇고 말고요!
어유 세상 물정도 모르고… 너나 쭉 그렇게 살아라.
하하..
속으로는 이럴지도.
반대로, 요행 바라지 않고 정직하고 성실하게 일해서,
아이쿠 많이 나오네.
정직
성실
가난하지만 착한 이웃과 나누며 살아가는 마음이 부자인 사람에게
나눠 먹읍시다.
아유 번번이….
졸부 친구가 나타나서,
나는 부동산 투기해서 떼돈을 벌었어. 아파트가 열 채인데 넌 뭐냐?
…고작 내땅에서 농사나 짓고
아유, 이 지지리 궁상….
난 일하러 가네.
하며 거들먹거린다면, 그 사람은 바보겠지?
그래서 상대방을 설득하려 한다면 명심해야 할 것이,
제가 이 회사를 택한 이유는….
자신이 설득하려는 상대가 스스로 자랑스럽게 생각하는 일을 은근히 찬미하고,
귀사의 글로벌적인 영업 마인드와 경영이….
끄덕 끄덕
심사
스스로 부끄러워하는 일은 굳이 입 밖으로 내어 말하지 말고 덮어 두어야 한다는 거야.
수출 얘기는 하지 말자!
우리 회사를 아주 잘 파악하고 있구먼.
맘에 쏙 들어~
하하
심사
네 번째!
척!
아무리 군주가 이익을 좋아하는 사람이고, 그가 솔깃해 할 이익이 될 만한 것을 이야기하더라도, 설득자는 반드시 대의명분을 내세워 적당히 포장해 줘야 해. 그리고 사실은 군주에게 이익이 되는 일이라도 이익이 된다는 사실을 노골적으로 나타나게 하지 말고, 이익이 있다는 것을 슬쩍 암시하여 군주가 깨닫도록 해야 하지. 나아가 군주가 자신의 재능을 발휘하여 일을 하고자 할 때에는, 곁에서 군주가 알아차리지 못하도록 은밀히 간접적으로 도와줘서 일이 성취되도록 해야 하며, 자신의 도움으로 성취했을 때라도 자기가 한 행위를 자랑하지 말고 시치미를 떼어 군주의 재능으로 일이 성취된 것처럼 군주를 모셔야 해. 잘못 떠벌이다가 도리어 군주의 노여움을 사는 일도 흔하지.

어디 군주를 보필하는 신하에게만 해당하는 말이겠어? 어디에서나 적용되지.
Every -where!
Everyone!
어떤 친구가 학교 합창단의 피아노 반주를 너무나 하고 싶어했어.
사실, 그동안 너무나 하고 싶었는데,
실력이 출중한 선배 언니가 반주를 맡고 있어서 엄두를 못 냈는데
어쩜~ 잘한다!
최고다!
이제 그 선배가 졸업을 해서 자리가 비었거든.
오랫동안 사귀었던~♪
그래서 선생님에게 자신이 반주자가 되고 싶다는 이야기를 해서 테스트를 받아야 하는데,
합창부
소심한 친구가 그 말을 못하는 거야.
휴~
말을 못하겠어…
그래서 친구에게 이렇게 이야기해.
너, 피아노 반주하고 싶어 하잖아.
하고 싶어 안달이 났던 거 나 다 알거든?
합창부
아…
새침 떨지 말고 빨리 선생님에게 가서 네가 해보고 싶다고 말씀 드려.
이렇게 얘기하는 건 아니라는 거지.
사려 깊은 친구라면,
휴~
네가 우리 학교 합창단 피아노 반주를 맡아야 해.
원래 반주가 훌륭해야 합창이 살잖아.
합창부
우리 학교 합창단을 위해서라도.
지난 번 반주를 맡았던 선배 언니보다 더 훌륭한 반주자가 될 거야.
정말?
최고!

그리곤 슬쩍 합창단 지도 선생님을 찾아가는 거야.
선생님!
똑
똑
○○가 피아노도 정말 잘 치고 성실하거든요.
우리 학교 합창단 반주자로는 적격이에요.
그래?
그 친구 수줍음이 워낙 많으니 한번 슬쩍 부르셔서 테스트해 보세요.
실망하지 않으실 거예요.
그리곤 반주자가 된 친구에게 완전 시치미를 떼고,
혜미야!
거 봐!
선생님도 네 실력 인정 하시잖아.
너보다 잘할 사람이 또 누가 있겠어?
우리 학교 합창단, 이제는 걱정 없겠네. 너 같은 반주자 만났으니….
고마워 용기를 줘서!
이해되지?
이런 멋진 친구 있어?
있다면 정말 좋겠지?
그… 글쎄요.
별로….
내가 이런 멋진 친구가 되어 주는 건 어때?
용기 내!
멋진 친구를 둔 것만큼이나 내가 멋진 친구가 되어주는 것 역시
멋진 일 아니니?
네~!

마지막으로 사실이나 진실을 말할 때도 아주 조심해야 한다는 것을 명심하길 바라.
네?
어째서!
아무리 진실이라도 진실을 이야기하는 대가가 너무 클 수 있다는 사실.
임금님 귀는 당나귀 귀
당나귀
귀
저놈 잡아 와라!
물론.
진실은 언젠가는 밝혀지고,
대한은 반드시 독립한다!
칙쇼!
대한민국은 언론의 자유가 있는 나라이긴 하지만,
비자금 폭로!!
내가 살았던 시대에는 진실을 말했다가 큰 불이익을 당하거나 심지어 목숨을 잃을 수도 있었단다.
왕이 폭정을 일삼으니…!
그러게 말이오!
너네 다 죽었쓰~
그런 예가 있었지.
주니어 영화
옛 정나라 군주 무공이 호나라를 치기 위해,
으음… 방법이…!
먼저 그 딸을 호왕에게 시집보내 환심을 샀어.
허엉~ 나도 시집간당~
애비를 용서해라!
그런 뒤에 신하들을 모아놓고
내가 지금 군사를 일으키려고 하는데
어느 나라를 치는 것이 좋겠는가?

이에 신하 하나가
호나라를 쳐야 합니다.
호는 내 딸을 시집보낸 사위의 나라인데 이를 치라니 이런 괘씸한지고….
하고는 그 신하를 죽여 버렸어.
죽어라!
전하!
이 말을 들은 호왕은 정나라에 대해 완전히 경계를 풀게 되었지.
허허… 사돈 성격도 참….
하여간 안심이네
호왕
정나라는 결국 그 틈을 타서 호를 정벌하고 말았어.
속았다!
코억
악
죽음을 당한 신하는 진실을 얘기한 덕분에 호나라 왕의 경계를 풀기 위한 희생양이 된 셈이지.
아… 실로 거룩한 죽음이 아니더냐… 쩝~!
희생양
송나라에 어떤 부자가 있었대.
여기 금괴 치워라 어지럽다.
어느 날 큰 비가 내려 그 집 담이 무너졌지.
그러자 아들이 말했어.
무너진 담을 고쳐야 해요. 도둑이 들면 어떡해요?
이웃집 노인도 같은 충고를 했지.
도둑 들기 쉽다니까.
그러나 그 집주인은 담을 고치지 않았고 그날 밤 도둑이 들었어.
허허
금괴는 내가 치워 줄게.
타닥
집안 사람들은 아들에게는 선견지명이 있다고 칭찬하고,
어쩜….
혜안이네….

같은 말을 한 이웃집 노인에 대해서는 수상하다고 의심했다는 거야.
내가 뭘….
때로 듣는 이의 속마음을 너무 잘 읽어 그에 딱 맞춰서 설명하면
저….
키높이 구두는 이쪽에!
상대방은 자기의 마음 속을 너무나 훤히 꿰뚫어 본다고 생각하여
뭐야?
도리어 불쾌해하고 건방지다고 생각하게 돼.
눈치 빠르면 다냐?
특히 군주의 마음속을 헤아려 말할 때에는 자칫하면 불손하고 건방진 자로 오해받기 쉽기 때문에
좀 더 예의를 갖추고 공손한 태도로 설명해야 한다는 거지.
한마디로 내가 말하고 싶은 내용은 다음과 같은 거야.
어떤 사실을 안다는 것은 그리 어려운 일이 아니다. 그 알고 있는 사실을 어떻게 말하느냐, 어떻게 대처하느냐가 사실 어려운 일이다.(설난)
즉, 같은 말도 듣는 사람에 따라 다르기 때문에
앞 뒤 사정을 잘 살펴서 말해야 한다는 이야기야.
어때?
생각보다 어렵지 않지?
네!
그럼, 이런 분위기로 쭉 가 볼까?
눈 크게 뜨고 딴 생각 말고! 《한비자》에 푹 빠져봐!

제4장 유가를 비판하다

이번 장부터는 나의 정치관이 본격적으로 펼쳐질 거야.
아아… 마이크….
톡 톡
그런데 걱정이 있어.
후웁
사실 《한비자》는 내가 살았던 시대의 군주들을 설득하기 위해 쓴 글이야.
요건 요렇고….
그러니 요즘 시대에 살고 있는 너희들에게 내 이야기가 설득력을 가질 수 있을지 그게 걱정이네.
지금은 21세기라구요.
그럼!
그래서 생각해 본 건데
그렇다면….
끄응
힘주는 거예요?

이왕 내 책을 살펴보려고 마음먹었으니
《한비자》라….
너희들이 내가 살았던 시대의 군주가 되었다고 가정하고
척
어?
내 말을 들어보면 좀 더 실감나고 이해도 빠르지 않을까 하는데….
꿇어!
이자식이 누구맘대로
바로 역사적 상상력을 발휘하는 거지.
좋아요.
어때? 재미있겠지?
나도 왕 할래요.
그럼 너희들의 상상력을 믿고 얘기를 시작해 볼게.
法
네!
내가 죽고 나서 전국시대가 통일되고
전국 통일!
진
진나라 때에 분서갱유라는 끔찍한 사건이 있었어.
2장에서 봤지?
진나라 시황제가 법가와 관련된 책과 농업 등의 실용서를 제외한 모든 책을 불온하다고 하여 불태워 없애고,
정치를 비판하는 학자들을 산 채로 파묻어 죽게 했던 소름끼치는 사건이었지.
크억!
천벌이 내릴 것이다!!
사상을 법가 하나로 통일하려 했던 거야.
이거 하나면 충분해!
법 가
사실 사상이라는 게 세상을 보는 시각이자 견해, 철학 같은 거잖아.
견해, 철학
주니어 신문
인문 고전 50선.
출간임박

학파마다 다르고
팥
콩
심지어 사람마다 다 다를 수 있는 건데 말야.
나 콩!
나도!
나도!
어쨌거나 이때 주로 불태워졌던 건 유가의 책들이었고,
덜 탔잖아!
주로 탄압받은 학자들도 단연 유가였어.
우리만 가지고…
유가
그만큼 유학자들이 법가사상에 대해 날카로운 비판의 날을 세웠기 때문이지.
자식이 …
사실 유가와 법가사상은 오랫동안 서로에 대한 비판의 끈을 놓지 않았어.
법가사상 자체가 어쩜 유가사상에 대한 비판을 통해
조목조목 따져서.
학설을 가다듬고 완성해온 것인지도 몰라.
됐다.
법가
원래 사상이라는 게 그렇지.
원래 있었던 학설이나 사상과 아무 관련도 없는 새로운 것이 어느 날 문득 나타났다기보다는,
와~
멋지다
난….
기존의 학설이나 사상의 허점을 비판하고, 극복해가는 과정에서 새로운 사상이 정립되고 발전해가는 것이지.
너희들이 발전된 모양이야!

특히 유가의 지나치게 이상적인 측면은
농사꾼은
전국시대의 척박한 현실 속에서 설득력을 발휘하기 힘들었고,
시방 뭐 하는겨? 전쟁이여!
현실적인 입장에 서 있는 법가는 이런 점을 조목조목 비판했어.
말이 되냐고!
그 내용은 고스란히 《한비자》에 담겨 있어.
한비자
이번 장에서는 《한비자》 속 유가사상에 대한 비판을 살펴볼까 해.
내가 뭘….
유가
어지러웠던 전쟁의 시대,
유가의 가르침이 얼마나 현실적이지 못한 것인가를
농사꾼이 농사 짓는 게 뭐….
나는 《한비자》에서 송나라 양공의 어리석음을 예를 들어 맘껏 비웃어 주었지.
한비
양공
송나라 양공이 초나라 군대와 싸움을 하게 되었어.
얘들아, 전쟁이다.
송나라 군대는 이미 싸울 준비를 다 갖추었는데 초나라 군은 아직 강을 건너지 못하고 있었지.
신하가 양공에게 말했어.
초나라 군대는 강하고 우리 송은 약합니다.

지금 초나라 군이 절반 정도밖에 강을 건너지 못했으니,
적이 전열을 정비하기 전에 지금 서둘러 공격해야 합니다.
그래야 이길 수 있습니다.
그럴 수는 없다.
내가 들은 바로는 적어도 군자라면 이미 부상당한 자를 다시 공격하지 않으며,
백발 노인을 포로로 잡지 않으며,
사람을 곤경에 빠뜨리지 않고 험난한 곳으로 몰아넣지 않으며,
진을 치지 못한 적을 공격해서는 안 된다고 했다.
지금 적군이 아직 강을 건너지 않았는데 기습하는 것은 도의에 어긋나는 짓이다.
그러므로 과인은 적이 완전히 강을 건너 진영을 정비한 다음 북을 치고 공격할 것이다.
왕께서는 우리나라 백성을 더 사랑하십니까? 적을 더 사랑하십니까?
군을 위해 싸우려는 우리 병사들의 목숨은 돌아보지 않고, 군주의 도의만 행하시려 하십니까?
입을 다물라! 그대가 끝까지 고집하면 군법으로 처벌하겠다.
결국, 초나라 군대가 강을 다 건너고 진영을 정비하자 양공은 그제서야 북을 치며 공격 명령을 내렸지.
다 건넜다.
페어플레이 합시다.
결과는?
까악
깍...

전쟁 중의 적에게서 도의를 찾았던 어리석은 양공은
도리가 아니잖아…
수많은 군사들을 죽음으로 내몬 것은 물론이고,
그 자신도 다리에 부상을 입어 3일 만에 죽고 말았어.
미안하다 군사들이여….
난 《한비자》에 이렇게 썼어.
이 일은 군주 스스로가 인의(仁義)라는 헛된 명분에 따라 일을 하려다 입은 재앙이다. (외저설좌상)
한마디로 인의? 그 딴 거 딴 데 갖다 줘! 라고 외치고 싶었지.
왜? 전쟁 중에 인의를 찾는 것은 아무짝에도 쓸모없을 뿐 아니라,
무릇 인이라 함은….
나라와 백성들을 멸망과 죽음으로 내모는 지름길이니까.
와~ 신난다. 이사간다!
에구… 철없는 것….
아이들이 소꿉장난을 할 때는 흙을 밥이라고 하고 쓰고 버리는 구정물을 국이라 하며, 나무를 고기라 한다. 그러나 날이 저물면 집으로 돌아가 제대로 된 식사를 하는 것은 흙과 구정물과 나무는 소꿉장난의 도구는 될지언정 실제로 먹을 수는 없기 때문이다. 이와 같이 세상에서는 인의를 요순 이래의 성인들이 후세에 전한 바른 길, 즉 도라고 하여 찬양하지만, 그 주장이 아무리 그럴 듯하게 치장하여 화려하다 해도 현실에 적용하기에는 아무 도움이 되지 않으며, 인의에 의해 정치를 했다는 선왕의 업적을 아무리 찬양한다고 해도 지금 나라의 정치를 바로잡지 못한다면 무슨 소용이 있겠는가? 이 역시 아이들의 소꿉장난에 불과할 뿐, 진정 나라를 잘 다스리는 방법이라고 할 수는 없을 것이다.(외저설 좌상)

한마디로 인의 좋아하다가 망할래?
무릇 인의….
양공의 묘
인의 무시하고 강해질래?라고 나는 묻고 싶은 거야.
자승이 적기다!
유가의 인의, 덕치는 한마디로 실제 정치에서 적용될 수 있는 게 아니라는 거지.
法

또 시대가 변하면, 사상과 정치도 시대에 따라 변해야 하지.
개그 하냐?
특히 유가사상가들이 만날 옛날 요 임금이 어쩌구 순 임금이 어쩌구 하면서
인자하시고….
지혜로우신….
그 권위를 빌려 자기의 주장을 늘어놓는데,
최고예요!
유가

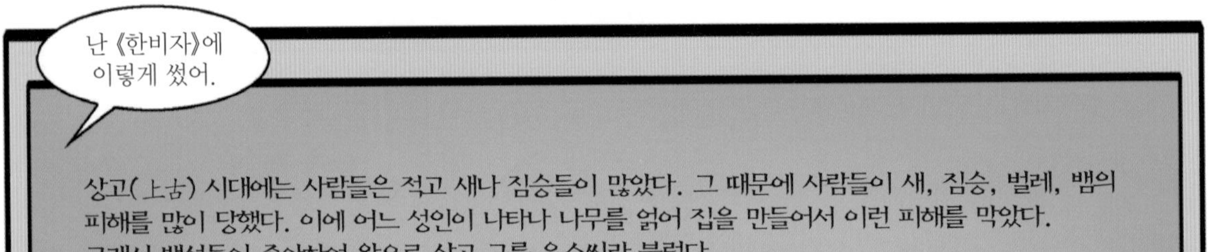
난 《한비자》에 이렇게 썼어.
상고(上古) 시대에는 사람들은 적고 새나 짐승들이 많았다. 그 때문에 사람들이 새, 짐승, 벌레, 뱀의 피해를 많이 당했다. 이에 어느 성인이 나타나 나무를 얽어 집을 만들어서 이런 피해를 막았다.
그래서 백성들이 좋아하여 왕으로 삼고 그를 유소씨라 불렀다.
백성들은 나무 열매, 풀, 조개 등을 익히지 않고 날로 먹었으므로 심한 비린내와 악취가 나서 먹기가 역겨울 뿐 아니라, 장과 위가 상하게 되어 백성들이 병에 걸리는 일이 많았다.
그때 한 성인이 나타나 부싯돌로 불을 일으켜 비린내가 나고 탈이 잘 나는 더러운 것을 익혀 먹게 하여 백성들을 구했다. 이에 백성들이 그를 천하의 임금으로 섬기고 수인씨라 불렀다.
중고(中古) 시대에는 온 천하가 큰 홍수로 잠긴 일이 있었는데 곤과 우가 물길을 열어서 물을 바다로 흘려보내 홍수 피해를 면하게 했다.
근고(近古) 시대에는 걸과 주가 포악하고 음란하니 탕과 무왕이 그들을 정벌했다.
만일 중고 시대에 나무를 얽어매어 사람들이 사는 보금자리를 만들고 나무를 마찰하여 불을 일으키는 임금이 있다면 그는 곤이나 우에게 비웃음을 당할 것이며, 은나라나 주나라의 세상에서 물을 바다로 흘려보내기 위해 물길을 뚫는 자가 있다면 반드시 탕이나 무왕의 비웃음을 받았을 것이다.
마찬가지로 옛날 요, 순, 탕, 무왕, 하후씨가 나라를 다스리던 방법을 지금의 세상에도 적용될 수 있다며 칭찬하는 사람이 있다면 오늘날의 새로운 성인의 비웃음을 받을 것이다. 그래서 성인은 굳이 옛 도를 따라 지키려고 하지 않으며 항상 옳은 것을 법으로 만들어 지키지는 않는다. 성인은 늘 자기가 사는 세상의 당면한 일을 문제로 삼아 그것에 대한 적절한 대비책을 세운다.(오두)

상고 시대는 인간이 처음으로 의식주 생활을 시작할 때니,
여기 좋다!
옷을 지어 입고, 집을 만들고 하는 것이 당면 과제였고,
아부지 옷은?
집이 먼저다!
중고 시대는 서서히 자연을 지배해가는 시대이니,
농사가 잘됐네!
치수를 통해 농사에 지을 물을 끌어들이고 홍수를 막는 것이 역시 시대적 과제였지.
아이고… 올해는 망했네!
근고 시대는 은나라와 주나라 시대를 말하는데,
탕왕과 무왕이 당면 과제를 해결했지.
아주 잘 하셨다 구요.
하하, 님도 좀 짱인듯.
성군으로 칭송받는 선왕들은 모두 그 시대의 과제를 해결하기 위해 애썼고 그런 점에서 정말 훌륭한 임금이야.
홍수 걱정 덜어내니….
농사가 편해졌네.
하지만, 전국시대의 혼란을 수습하고 중원의 통일제국을 건설해야 하는 당시에,
하루가 멀다 하고….
전쟁이다!
먼 옛날 고릿적 일을 들먹여 그때로 돌아가자고 하는 건 비웃음이나 살 일이지.
인의가… 덕치가 ….
어서 칼 잡아라!
수천 년이나 되는 역사가 우리에게 주는 교훈은 단 하나!
옛날을 본보기로 삼아 오늘의 과제를 해결하려는 것은
한마디로 시대착오적인 사고!
새로운 시대, 새로 풀어야 할 과제가 우리 앞에 놓여 있다.
척
최선을 다하라!

결국 난 역사의 진화 또는 발전과정에
주목하며 오늘날의 시대적인 요청은
무엇인가 고민한 거지.

나는 혼란한 시대, 전쟁과 다툼의 시대의 근본 원인은 바로
물질적인 재화와 인구라는 두 요소로 설명할 수 있다고 봐.

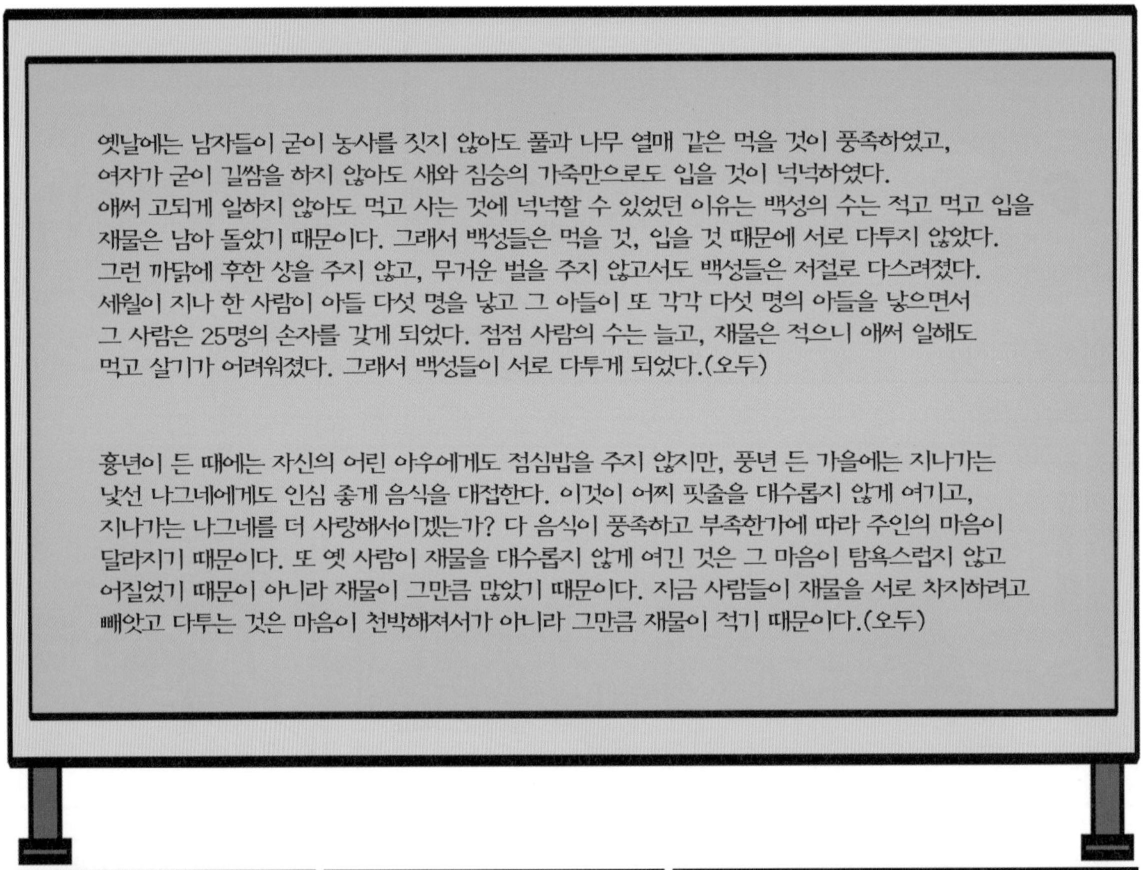
옛날에는 남자들이 굳이 농사를 짓지 않아도 풀과 나무 열매 같은 먹을 것이 풍족하였고,
여자가 굳이 길쌈을 하지 않아도 새와 짐승의 가죽만으로도 입을 것이 넉넉하였다.
애써 고되게 일하지 않아도 먹고 사는 것에 넉넉할 수 있었던 이유는 백성의 수는 적고 먹고 입을
재물은 남아 돌았기 때문이다. 그래서 백성들은 먹을 것, 입을 것 때문에 서로 다투지 않았다.
그런 까닭에 후한 상을 주지 않고, 무거운 벌을 주지 않고서도 백성들은 저절로 다스려졌다.
세월이 지나 한 사람이 아들 다섯 명을 낳고 그 아들이 또 각각 다섯 명의 아들을 낳으면서
그 사람은 25명의 손자를 갖게 되었다. 점점 사람의 수는 늘고, 재물은 적으니 애써 일해도
먹고 살기가 어려워졌다. 그래서 백성들이 서로 다투게 되었다.(오두)
흉년이 든 때에는 자신의 어린 아우에게도 점심밥을 주지 않지만, 풍년 든 가을에는 지나가는
낯선 나그네에게도 인심 좋게 음식을 대접한다. 이것이 어찌 핏줄을 대수롭지 않게 여기고,
지나가는 나그네를 더 사랑해서이겠는가? 다 음식이 풍족하고 부족한가에 따라 주인의 마음이
달라지기 때문이다. 또 옛 사람이 재물을 대수롭지 않게 여긴 것은 그 마음이 탐욕스럽지 않고
어질었기 때문이 아니라 재물이 그만큼 많았기 때문이다. 지금 사람들이 재물을 서로 차지하려고
빼앗고 다투는 것은 마음이 천박해져서가 아니라 그만큼 재물이 적기 때문이다.(오두)

재물은 정해져 있는데
인구가 늘어나니,
1인분

자기 몫이 적어질 것이고,
에계~.

결국 더 많이 가지기 위해 싸우는 것은
당연하다는 얘기지.
나 더 줘!
내가 더
먹을래!

그런데 한비 선생님! 정말 재물이 넘치면 사람들은 싸우지 않을까요?
맞아. 요즘의 사회를 보면 나도 그런 의문이 생겨.
산업 혁명을 거치면서 현대의 인류는 그 어느 시대보다도 더 큰 물질적 풍요를 누리고 있지.
뻥이요!
뻥!
산업 혁명
인구가 폭발적으로 증가했다고는 하지만 인류의 생산력은 더욱 발전하여
위이잉…
많은 인구를 먹여 살릴 만큼 충분하거든.
그런데도 인간은 더 많이 가지려고 싸우고, 무기를 만들고, 전쟁을 벌이지.
저놈 것도 뺏고 싶다!
게다가 많이 가진 부자가 더 많이 가지려고
다다익선!
가난한 사람들 것을 뺏는 현실을 살펴보면,
약속은 ….
차용증
과연 물질의 부족함으로 설명할 수 있을까 싶기도 해.
지키라고 있는 거쥐!
벼룩의 간을….
배고파요.
짤랑
그 점에 대해서는 나도 깊이 고민하고 있어.
法
휘유우
어려워
어쨌거나 사회를 변화시키는 건 기본적으로 물질적인 조건이라는 건 틀림없는 사실이라고 생각해.
선생님의 기술력은 국내 TOP이시며 성품또한 고결하신
얼마 줄거유?

다시 한 번 얘기하지만 재물이 부족해서 각박해진 세상을,
옛날이야기에나 나올 방식으로 다스리는 것은 무모하고 어리석다는 거야.
군자의 도리는….
아저씨!!
그리고 꼭 한번 짚어봐야 할 게 있어.
내가 옛날이야기 하나 해 줄게.
옛날, 요 임금이 나이가 들어 자신의 뒤를 이어 새로이 천자가 될 사람을 물색했어.
세습은 좋지 않아!
수소문 끝에 허유가
허유가….
응?
허유는….
허유를….
인의(仁義)를 따르는 사람이라는 말을 듣고 그를 찾아갔지.
이봐, Mr. 허!
이제 태양이 떴으니 횃불을 끌 때요.
부디 천자의 자리를 받으시오.
가만있자… 임명장이
허유는 얼른 숨어버렸지.
워디 간겨?
왕이 또 찾아와서 간청했어.
이봐!
귀찮게….
후다닥..

시냇가로 달려간 허유는 열심히 귀를 씻었지.
졸졸
소에게 물을 먹이러 소를 몰고 시냇가에 왔던 소부가
뭐 하는겨?
임금이 나더러 천자가 되라는구려.
그래서 그 말을 들은 내 귀가 더럽혀진 것 같아 귀를 씻고 있는 중이오.
무시기?
소부는 얼른 소를 몰고 시내를 거슬러 올라갔어.
뭐여~
어여 가자!
소에게 물은 안 먹이고 소를 몰고 어디 가시오?
당신의 더러운 귀를 씻은 더러운 물을 내 소에게 먹일 수 없어
깨끗한 물을 먹이러 위로 올라가오.
바로 천자의 지위를 탐내지 않고 사양했다는 이야기야.
法
유가가 가장 이상적으로 생각한 사회의 모습이기도 하지.
아… 청렴한 이세상…
나는 요 임금이 천자를 넘겨주려 한 것도, 허유가 이를 받지 않고 사양한 것도
응?
천자의 권세가 별 볼일 없었기 때문이지 인격이 훌륭해서가 아니라고 생각해.
댁이 뭘 안다구….
헉!

요런 이야길 했지!
옛 사람이 천자의 지위에 오르기 위해서 욕심을 부리지 않고,
대수롭지 않게 사양한 것은 그 마음이 고결해서가 아니라,
그 천자의 세력이 별 볼일 없었기 때문이다.
지금 관리들이 벼슬자리를 차지하고자 서로 다투는 것은
특별히 그 인격이 천박해서가 아니라 그 자리를 차지하면
누리는 권세가 아주 크기 때문이다.(오두)
좀 어려운 말로 권력구조가 변해서 그런 건데,
천자… 까이거 뭐….
재상 자리면 몰라도….
유학자들은 이런 본질은 놓치고,
천자 알길 우습게 아니….
사람들의 인간성 운운하니 얼마나 답답한 노릇이니?
요즘 것들 큰일이외다….
그리게요.
물론 훌륭한 인격을 갖춘 사람도 있지.
예를 들어 공자 같은 사람 말이야.
또 섭외하는 거야?
천하가 다 인정하듯 나도 공자가 성인이라는 걸 인정해.
온 세상이 모두 그의 인(仁)을 좋아하고 그의 의(義)를 아름답게 여겼지.
내 것이 아니여… 참자!
하지만 그에게 깊은 감동을 받아 그를 섬긴 자는 70명의 제자뿐이었어.
단 70인 뿐!
그럼 인의를 실천한 자는 과연 누구였지? 딱 한 사람,
실천이 어려울 뿐!
공자뿐이었어.

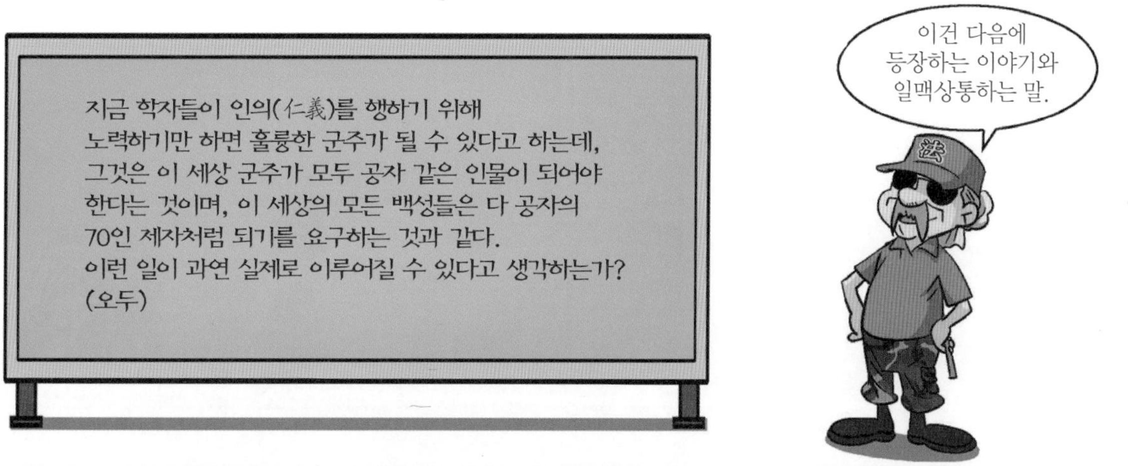
지금 학자들이 인의(仁義)를 행하기 위해 노력하기만 하면 훌륭한 군주가 될 수 있다고 하는데, 그것은 이 세상 군주가 모두 공자 같은 인물이 되어야 한다는 것이며, 이 세상의 모든 백성들은 다 공자의 70인 제자처럼 되기를 요구하는 것과 같다. 이런 일이 과연 실제로 이루어질 수 있다고 생각하는가? (오두)
이건 다음에 등장하는 이야기와 일맥상통하는 말.
法

송나라의 한 남자가 밭을 갈고 있었어. 밭 가운데에는 나무 그루터기가 있었는데,
어느 날 무엇엔가 쫓긴 토끼가 달아나다가, 급한 나머지 그루터기에 부딪쳐 죽어버렸지.
부르르
그때부터 남자는 쟁기를 버리고 그루터기를 지키면서(守株) 또다시 토끼를 잡으려고 기다렸어(待兎).*
기둘리면 되지…♪

＊ 守 : 지킬**수**, 株 : 그루터기**주**, 待 : 기다릴**대**, 兎 : 토끼**토**
한 가지 일에만 얽매여 발전을 모르는 사람을 비유하는 말.

이 남자, 토끼는 고사하고 농사가 망했겠지?
게다가 온 나라의 웃음거리가 되고 말았단다.
히히!
호호
키?
그래서 난 《한비자》에 다음과 같이 썼어.
요 임금이나 순 임금 같은 앞선 시대의 왕들의 정치로 지금 세상의 백성을 다스리고자 하는 것은 송나라 사람이 나무 그루터기를 지키고 있는 것과 비슷한 일이다.(오두)
내가 얘기하고 싶은 결론, 바로 다음 글이야.
옛날의 형벌이 가벼웠던 것은 그때의 군주가 특별히 백성을 사랑하고 자비로워서도 아니고, 지금 죄를 엄중히 처벌하는 것이 세상의 도리에 어긋나는 일도 아니다. 단지 당시의 세상의 풍속에 맞춰 정치를 하는 것일 뿐. 그러므로 일은 세상 풍속에 따라 변해야 하고 대비책은 일에 적절하여야 한다. 지금과 같은 급박한 세상의 각박해진 백성들을 관대하고 느슨한 정치로 다스리고자 한다면, 마치 고삐와 채찍 없이 사나운 말을 타려고 하는 것과 같다. (오두)

제5장 인간의 본성은 이기적이다

인간의 본래 마음이 착한가? 악한가?
아까 2장에서 잠깐 나왔었지?
맹자의 성선설과 순자의 성악설.
잠깐 맹자와 순자의 말씀을 들어볼까?
맹자 - 성선
순자 - 성악

맹자
사람의 본성은 원래 선하다고 할 수 있지.
한마디로 착하게 타고 났다는 거야.
난 착한 사람.
누구나 불쌍한 사람을 보면 도와주고 싶은 마음(측은지심 惻隱之心)*을 가지고,
기운 내세요.

*맹자의 사단지성 – 측은지심, 수오지심, 사양지심, 시비지심

자신의 옳지 못함을 부끄러워하고 남의 옳지 못함을 싫어하는 마음(수오지심 羞惡之心),
찌잉~
아저씨 파이팅!
그래… 더이상 이렇게 살지 말자!
겸손하여 남에게 양보하는 마음(사양지심 辭讓之心),
에이쿠..
저보다 더 힘드시죠? 자, 이거..
뭐냐 너…
내돈
내돈
옳고 그름을 가릴 줄 아는 마음 (시비지심 是非之心)을 가지고 있어.
그래-나 돈 밝힌다. 어쩔래!
저건 아니다!
퍽
퍽
그러나 혼란한 사회를 살아가면서 이러한 선한 마음을 잊고 살지.
뭔소리야!
나 살기 바뻐!!
교육은 이러한 타고난 본성을 되살리고, 더욱 키우는 것이야.
이에 대비되는 순자의 말씀!
뭘 모르는 소리!
그건 타고난 본성과 배워서 알게 된 것을 구분하지 못해서 하는 말.
본성은 배워서 되는 것이 아니지.
뭐니?
본성 속성완성
인간의 본성은 원래 이기적이고 악한 것이야.
개나 줘 버려!
탁!
사람은 태어나면서부터 자신의 이익을 추구하게 마련이거든.
응애..
주먹 쥔 거 봐. 장군감이네….
응애
어린 아이를 봐. 밥 먹고 싶다고 울고 보채고,
응애
넌 어떻게 하루종일 우니….
응애애..
다른 애가 가지고 있는 것을 보면 빼앗으려 하지.
이리 내놔!
툭하면 주먹질이야.

배고픔을 참을 줄 알기나 하니?
빨랑 빨랑….
남에게 양보할 줄 알기나 하니?
다 내 거!
예의도 없고 염치도 없어. 이런 못된 본성 때문에 질투하고,
내 돈
내 돈
흥, 고상한 척 하긴….
나눠 먹읍시다.
증오하고, 남을 해치게 되고, 결국 싸움이 생기지.
그 땅 말야 돌려줬음 좋겠네!
아니.. 갑자기..
본성을 따르도록 그냥 두면
늦었다!
어? 빨간불
후다닥…
사회의 질서가 무너지고 결국 천하가 혼란에 빠지게 되는 법이지.
빠앙
끼익..
끼이익
순 선생님, 그런 못된 본성을 가진 인간들은 가망이 없는 건가요?
아니지, 본성은 악하지만, 스승과 법도의 가르침을 통해 고쳐질 수 있지.
한마디로 열심히 배우고 익히면 착해질 수 있다는 얘기야.
도덕적인 삶이란….
나는 인간의 본성은 악하다는 내 스승 순자의 말씀에 적극 찬성이야.
法
맹자 - 성선
순자 - 성악
탁
그런데, 사실 '인간의 본성이 악하다.' 는 말보다
응? 나 말고?
'인간의 본성은 이기적이다.
활
활
나무 좋지!

즉 인간은 자신에게 이로운 것을 좋아하고 해로운 것을 싫어한다.' 는 게 더 정확할 거야.
우… 물은 시려, 시려…
내가 예를 하나 들어 볼게.
사람들은 들이나 산에서 뱀을 보면 끔찍해 하며 놀라서 달아나지.
꺄악…
뱀이닷!
후다닥
또 뽕나무 벌레를 보면 징그러워 온몸의 털이 쭈뼛 서곤 해.
징그러….
꾸물
내가 뭘…
하지만 어부는 뱀과 아주 비슷하게 생긴 뱀장어를 좋아하고,
대박이에요 자연산!
여자들은 뽕나무 벌레처럼 징그럽게 생긴 누에를 아무렇지도 않게 손으로 만지며 뽕잎을 주고 똥을 치워주지.
꾸물…
이쁜 것들….
왜 그럴까?
바로 이익이 있기 때문이지.
인간은 자신에게 이익이 되는 일이라면 누구나 두려움을 잊고 용감해지는 거야.
왈 왈…
왈 왈
개조심
그래도 훔친다!
나도 물론 사람들이 순수하게 선했던 시절도 있었다는 걸 인정해.
4장에서 이야기했지? 풍요로움이 넘쳤던 그 옛날엔 사람들이 재물을 가지고 다투지도 않았고
엄마 저기 쌀이….
우리 거 아니니 그냥 가자!
성품이 어질 수도 있었다고….
좋은 곳에 써 주시오!
스윽
기부창구
그러니 인간의 본성은 악하다기보다
인간의 본성은 이기적이다.
…는 말이 더 정확하다고 할 수 있지.

인간이 가장 이해관계를 따지지 않고 무조건적인 사랑을 베푸는 대상이 누굴까?
일방통행
인간이 가장 선한 마음으로 대하는 상대는 누굴까?
뭐니 뭐니 해도 자식에 대한 부모의 사랑,
그것이야말로 '아낌없이 주는 사랑' 이겠지?
그런데 나는 부모의 사랑조차도 냉정히 그 속을 들여다 보면 이기적인 마음을 발견할 수가 있다고 생각해.
어째서?!

부모와 자식 사이에서도 아들을 낳으면 좋아하며 서로 축하해 주지만, 딸을 낳으면 낮은 대우를 하거나 심지어는 죽여 버린다. 다같이 부모의 뱃속에서 잉태되어 나왔지만 아들은 축하를 받고 딸은 죽게 되는 것은 부모가 장래 자기에게 돌아올 편익을 계산하여 행동하기 때문이다.(육반)

사람은 어렸을 때 부모가 양육을 소홀히 하면 자라서 어른이 되어 부모를 원망하고, 자식이 어른이 되어서 부모에게 효도를 다하지 않으면 부모는 서운히 여겨 자식을 나무라고 원망한다. 부모 자식 사이가 원래 세상에서 가장 친밀한 사이임에도 불구하고 서로 원망하고 나무라는 일이 생기는 것은 부모나 자식 모두 상대방에게 의지하여 자기를 위해주기만을 바랄 뿐, 자기를 위하여 스스로 무엇을 하겠다는 결심이 굳게 서 있지 않기 때문이다.
(외저설 좌상)

내가 살았던
그 시절,
입에 풀칠하기도 어렵고 식구 하나 느는 것이
너무나 큰 짐이었던 시대에는
응애
또 동생
생겼다.
배고파….
딸은 키워 남의 집에 시집을 보내면
다시 얼굴도 볼 수 없는 남의 식구가
되어 버렸기 때문에
어여 가.
뒤돌아 보지
말고!
딸보다 아들을 바라는 건
당연한 일이었지.
이제는 점점 옛날이야기가
되어가고 있지만,
너희 나라에서도 아들을 좋아하는 문화
때문에
응애
고추여?
응애
도리
도리
얼마나 오랫동안 딸 낳은 엄마들이
눈물지어야 했는지 아니?
휘유~
딸이
뭐여, 딸이…
단지 딸이라는 이유로
휘유우
아빠…
태어나면서부터 환영받지 못하고
눈총 받아야 했지.
저리 가!
요즈음도 남녀 성비 불균형이
심각하다는 얘기 들었지?
그 이유가 혹 늙어서 아들 덕 보려는
부모들의 이기심 때문은 아닐까?
아들이라….
다행이죠?
에이, 선생님
그건 너무 심한
얘기예요.

우리 부모님들은 자식 교육 시키느라
등록금이
당신들의 노후자금까지 털어 넣고 있는데….
몽땅 깨자!
적립식 통장
노후대책 통장
또 신문을 보면 우리 부모님만 그러시는 건 아닌가 보던데….
대학등록금 올해 13% 인상
허리휘는 우리의 부모들
백 번 양보해도 그건 그 시절, 그곳 이야기겠지요!
그래, 내가 조금 극단적인 예를 들었나보다.
내가 얘기하고 싶은 건 가장 헌신적이고 무조건적이라는 부모의 자식 사랑에도
등록금 냈어요.
그래, 훌륭한 사람 돼서
얼마간의 이기심이 포함되어 있다는 거야.
효도해라!
그럼 사회에서 나랑 관계를 맺고 있는 사람들 중에
여~ 김 대리.
Coffee
어떤 사람이 나에게 특별히 잘 해주는 것이
커피 한잔 해.
고마워.
순수하게 나를 위해서가 아니라,
자네가 인사과 실세라며?
궁극적으로 자기 이익을 위해서인 경우가 많다는 내 주장에 대해서는 어떻게 생각해?
내 평가서 좀 잘 부탁하네!
음! 멋진친구!!
예를 들어 품삯을 주고 머슴을 고용하여 씨를 뿌리고 밭을 갈게 할 때
개똥아, 밥 먹고 해라.
주인이 돈을 들여 좋은 음식을 먹이고 품삯을 많이 주는 것은

머슴을 사랑하기 때문이 아니라,
아구.. 아구..
쩝
잘.. 먹는다..
그렇게 잘 대우해야만 머슴이 힘을 다하여 밭을 깊이 갈고 김을 잘 매리라고 생각하기 때문이지.
밥값은 하는군!
파파박
또 머슴이 열심히 김을 매고 밭을 가는 것은
주인을 사랑해서가 아니라
설마!
우웩...
그렇게 해야만 좋은 음식을 대접받고 품삯을 많이 받을 수 있기 때문이야.
옜다, 품삯!
짜절렁..
즉 모두 다 자기를 위하는 마음 때문이라는 거지.
사람이 세상사를 처리하는 데 있어 利(이로움)를 마음의 근본으로 삼는다면 자신의 이익을 위해 먼 나라 사람과도 친할 수 있지만 害(해로움)를 그 마음의 근본으로 삼는다면 친밀한 부자 간도 멀어지고 서로 원망하게 될 것이다.(외저설 좌상)
난 사람의 관계가 본질적으로 경제적인 이해 관계에서 비롯된다는 점을 강조하고 싶어.
복잡해….
나무를 예로 들자면 예의나 명분 따위의 잔가지를 모두 쳐내고 나면 남는 큰 줄기는 바로 경제적인 이해관계라는 거지.

조금 더 극단적인 예를 들어볼까?
모 아님 도라구!
요즈음에는 의료 기구도 좋고 항생제 등의 약이 좋아 그렇지 않지만,
상처가 덧나서
…
시덴 연고
옛날에는 상처에 고름이 생긴 환자를
의원님 오셨어요?
의원이 직접 입으로 빨아서 치료했단다.
쪼옥…
쭉
그런데 의사가 좋아서 그랬겠니?
우웩!
천만에! 당연히 병을 고쳐줘야 돈을 벌 수 있고,
퉤…
먹고 사는 게….
정성껏 치료한다는 소문이 나야 단골도 많아지기 때문에
의원님, 저희 아이도….
저도 고름이….
싫어도 할 수 없이 한 거지.
왜 고름 환자만….
수레를 만드는 사람은 사람들이 부자가 되기를 바랐어.
그리고 장의사는 사람들이 많이 죽기를 바라지.
法
이기심
왜 그럴까? 수레 만드는 사람의 인간성이 착하고,
모두
부자 되세요!
뚝 딱
장의사는 인간성이 잔인하기 때문에?
Oh, No!
장의사
사람들이 부자가 되지 않으면 수레를 타지 못해 수레가 팔리지 않을 것이고,
저리 가!
…그거 얼마요?

사람이 죽지 않으면 관이 팔리지 않기 때문에
신제품이..
나보고 죽으라고!
어쩔 수 없이 사람들이 죽기를 바라는 거지.
고연 놈!
직업을 바꿔?
그렇다고 의사 선생님은 사람들이 많이 아프길 바라고,
장의사는 사람들이 많이 죽기를 바란다? 그건 좀 이상해요.
삭막해요
너무 심해요! 그건 비약이야!
심하긴 뭐가 심해, 사실 당연한 얘기 아니야?
자자, 잠깐 조용!
다소 비약이 있을지 모르지만,
난 사람들의 의식을 그 사람의 도덕적인 성숙이라거나 인격적 완성도에서 찾는 것이 아니라
꽃이 없다!
그 사람의 사회 · 경제적 처지에서 찾아야 한다는 말을 하고 싶은 거야.
변태하지 말고 그냥 살자!
사각
사각
좀 거창하게 말하면 '자기가 처해진 입장에 따라, 생각도 따라간다.' 는 말이지.
다섯 가족의 가장
열심히 일하자!
군주와 신하의 관계도 마찬가지야.
대부분은 군주와 신하 역시 이해관계에서 비롯된다는 것이 내 생각이야.
소인의 생각은….
네 생각은 필요없다!
STOP!
오죽하면 황제(黃帝)* 조차 "군주와 신하는 하루에 백 번 전쟁을 벌인다."고 했을까?

***황제** – 상고 시대 헌원씨를 부르는 호칭.

임금과 신하는 서로 처한 입장이 다르다. 군주는 나라를 잘 다스려 자기 지위를 보존하기를 원하고, 신하는 일을 할 때 자기에게 유리하도록 계획하기 때문에 임금과 신하의 마음은 다를 수밖에 없다. 다시 말해서 군주는 자신의 이해를 따져 신하를 등용하고, 신하 역시 자신의 이해를 따져 보아서 군주를 섬기는 것이다. 그러므로 자신의 몸을 해치면서까지 나라의 이익을 도모하는 신하는 없으며, 나라의 이익을 해치면서까지 신하의 이익을 도모하는 군주는 없다. 그렇기에 이익을 위해서 자신의 몸을 희생하기까지는 않으니 신하는 몸 바쳐 충성하려 하지는 않을 것이고 군주는 나라를 제쳐두면서까지 신하만을 사랑할 수는 없다. 이렇듯 임금과 신하 사이는 계산된 관계인 것이다. (식사)

군주가 신하를 등용할 때
이력서
희망연봉
나라와 군주 자신에게 보탬이 되지 않을 인물을
돈은 좀 밝히지만….
중요한 자리에 앉힌다면
함 해봐!
재상
심하게 얘기하면 나라를 말아먹는 일이지.
한 냥만 더하고 또와
사리사욕
뇌물
현명한 임금이라면
그 사람이 아무리 친하고 가까운 사람이라도
우리가 형제로서….
형님!
나라의 일을 좌지우지할 정도로 중요한 자리에 앉히지는 않을 거야.
그 자리는 이미 임명이 됐어요!
냐…
중요한 직책을 맡길 때는
당연히 그 사람의 능력을 보겠지.
휙
복지
민생
휙
경제
실업 대책

결국 군주는 자신과 나라의 이익을 고려하여 신하를 등용한다는 거야.
모두 해결!
잘한다!
신하도 마찬가지지.
어디가 좋을까…
주니어 JOB
어떤 군주 아래서 일할 때 부귀영화를 누릴 수 있든가,
진
연
한
아님 권세를 누리든가!
아니면 하다못해 월급이라도 꼬박꼬박 나와서
월급
먹고 살 만해야 정성을 다하게 되는 법이지.
뭐… 월급은 안밀리니
자신에게 돌아올 이익은 쥐꼬리 만큼도 기대하기 어렵고
월급
뭐… 뭐야?!
짤랑
고통만이 기다리고 있다면,
저… 저…
업무
누가 군주에게 정성을 다해 충성을 하겠니?
씨이… 안 해!
사직
혹 지금은 어려운 처지에 있는 사람을 자신의 주군으로 모실 생각을 할 때는,
왕족… 맞아요?
네…
최소한 그 사람이 될성부른 떡잎이라서,
귀는 좋고….
열심히 모시면 고생 끝에 낙이 올 거라는 희망이라도 보일 때 결단을 내릴 수가 있을 거야.
전하!
열심히 하세요..
결국 신하도 자신의 이해 관계를 따져서 군주를 모시는 셈이야.
크면 돈 된다!
비료
고소득

물론 역사에 남은 특별한 인물들이 없는 것은 아니지만
황금 보기를 돌같이….
이는 말 그대로 특별한 예외에 해당되고,
나는 일반적인 경우를 이야기하는 거야.
돌연변이!

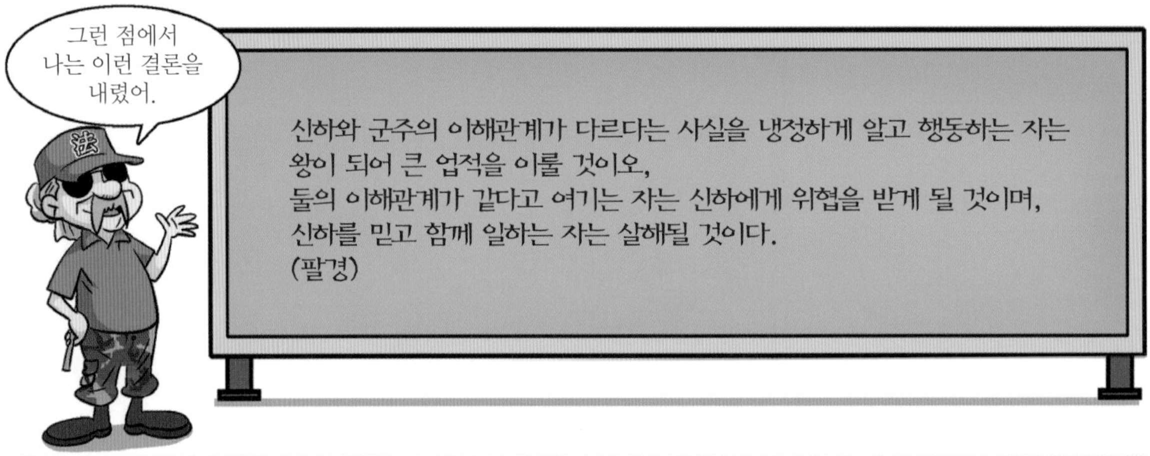

그런 점에서 나는 이런 결론을 내렸어.
法
신하와 군주의 이해관계가 다르다는 사실을 냉정하게 알고 행동하는 자는
왕이 되어 큰 업적을 이룰 것이오,
둘의 이해관계가 같다고 여기는 자는 신하에게 위협을 받게 될 것이며,
신하를 믿고 함께 일하는 자는 살해될 것이다.
(팔경)

난 내 책을 읽는 군주들이,
돈은 확실하지요?
자신의 신하들이 온몸을 던져가며 충성을 바칠 거라는 기대를 아예 접기를 주문했어.
김 부장.
자네만 믿네!
네, 사장님!
회사기밀
아주 가까운 사람 역시 예외는 아니니까….
아이고 믿는도끼에 발등 찍혔네…
우리회사
法

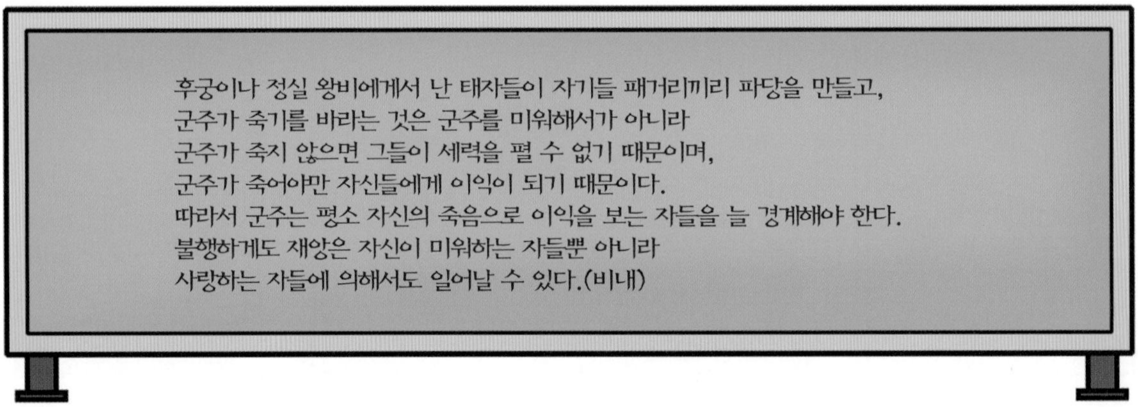

후궁이나 정실 왕비에게서 난 태자들이 자기들 패거리끼리 파당을 만들고,
군주가 죽기를 바라는 것은 군주를 미워해서가 아니라
군주가 죽지 않으면 그들이 세력을 펼 수 없기 때문이며,
군주가 죽어야만 자신들에게 이익이 되기 때문이다.
따라서 군주는 평소 자신의 죽음으로 이익을 보는 자들을 늘 경계해야 한다.
불행하게도 재앙은 자신이 미워하는 자들뿐 아니라
사랑하는 자들에 의해서도 일어날 수 있다.(비내)

한마디로 군주는 자신을 둘러싼 환경을 냉정하게 보라는 거지.
어렵다, 어려워….
문제는 이렇게 자신의 이익을 위해서만 움직이는 이기적인 인간들을
이익
어떻게 다스려야 나라가 평안해질까? 하는 것과
내 거….
나두.
이익
이해관계로 맺어진 군신관계에서
가능한 한 내게 이롭게….
신하들이 군주를 위해 일하게 하기 위해서는 어떻게 해야 할까? 하는 거지.
헥헥
How to?
이기적인 인간들을 다스리는 방법,
왁 왁
물어 와!
바로 이기적인 본성을 이용하라!
엄격한 법으로 다스려라!
法
손해를 싫어하고 이익을 좋아하는 인간이니만큼
내 거!
이익
통 통..
죄를 지었을 때 큰 벌을 내려 엄격한 법으로 다스리면,
도둑질, 징역 50년!
컥…
손해 보기 싫어서 죄를 짓지 않겠지.
봤지? 죄짓지 말아라!
…
그흑…
그리고 일을 잘했을 때 상을 내려라!
심부름 잘했어!
이익을 좋아하는 인간들은 상을 받기 위해 노력할 것이기 때문이지.
청소해야지!
어째 의도가….

제6장
이기적인 인간을
다스리는 방법은 법!

나보다 앞서 법가사상을 펼쳤던 선구자는
法
법가

상앙, 신도, 신불해 세 분을 들 수 있어.

그들의 목표 역시 부국강병*.
나?
잘 살면서 힘도 세지!
$

*부국강병(富國强兵) – 나라를 부유하고 강하게 함.

생사를 건 치열한 전쟁의 시대, 냉엄한 현실 속에서 다른 나라에 침략당해서 노예가 되거나 죽임을 당하지 않으려면 부국강병만이 살 길이었지.

이를 위해서 상앙은 법(法)을
法
신도는 세(勢), 즉 정치적 힘, 권위,
권 위
신불해는 술(術), 즉 통치술을 중요하게 생각했단다.
조금 어렵겠지만 이 세 가지에 대해 간략히 설명해 줄게.
法
법은 법령을 의미하는데, 보다 범위를 넓히면 사회 · 정치적인 제도까지도 포함하지.
제도
법
세는 법을 시행할 수 있는 권력 기반,
법을 지키도록 만드는 힘!
술은 신하와 백성들이 법을 준수하게 하는 군주의 통치기술이야.
오늘의 요리
방법을 의미해!
나는 이 세 요소를 따로 떨어진 것이 아니라
제도
법
오늘의 요리
서로 보완되는 관계로 체계화했어.
보글..
보글
파. 마늘
꼭 갖추어야 하는 제도와 규범들은 법으로 정해야지.
3조
1항
하지만 꼭 지켜야 할 법이라도,
소변금지
(노상방뇨는 형법 제.... 금지.)
사람들이 다 무시해 버리면 지키게 할 수가 없잖아.
금지
형법
..금지.)
왠지... 더 시원해..

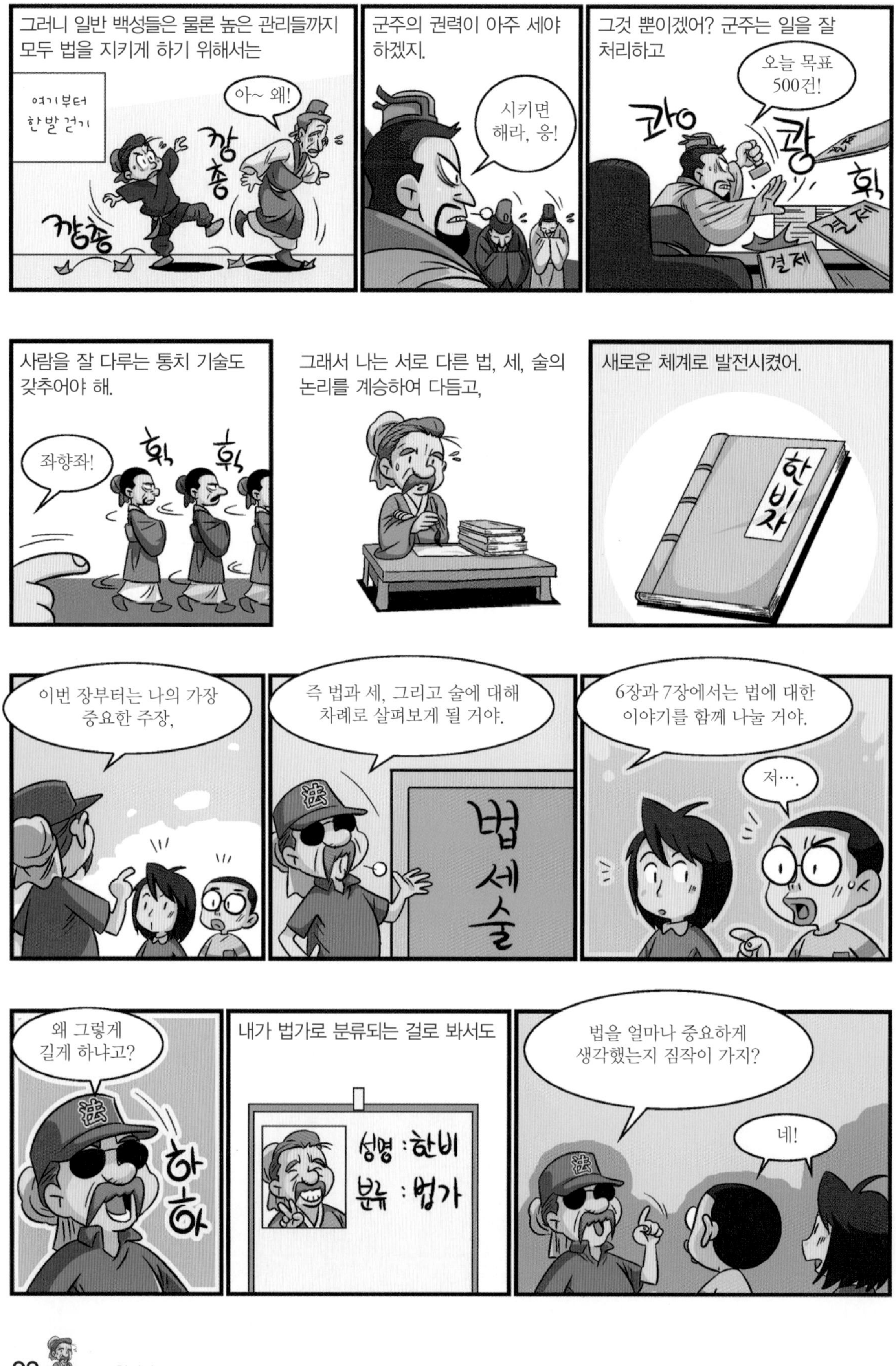

그러니 일반 백성들은 물론 높은 관리들까지 모두 법을 지키게 하기 위해서는
여기부터 한발걷기
아~ 왜!
깡총
깡총
군주의 권력이 아주 세야 하겠지.
시키면 해라, 응!
그것 뿐이겠어? 군주는 일을 잘 처리하고
오늘 목표 500건!
쾅
쾅
휙
결제
결제
사람을 잘 다루는 통치 기술도 갖추어야 해.
좌향좌!
휙
휙
그래서 나는 서로 다른 법, 세, 술의 논리를 계승하여 다듬고,
새로운 체계로 발전시켰어.
한비자
이번 장부터는 나의 가장 중요한 주장,
즉 법과 세, 그리고 술에 대해 차례로 살펴보게 될 거야.
법
세
술
6장과 7장에서는 법에 대한 이야기를 함께 나눌 거야.
저….
왜 그렇게 길게 하냐고?
하하
내가 법가로 분류되는 걸로 봐서도
성명 : 한비
분류 : 법가
법을 얼마나 중요하게 생각했는지 짐작이 가지?
네!

내 주장의 핵심이라고
해도 과언이 아니지.
법
그래서 6장에서는 왜 법으로 통치하는 것이 필요한가 하는 점을 중점적으로 설명할게.
法
6장
그리고 7장에서는 법은 어떠해야 하고 법치의 궁극적인 목표는 무엇인지에 대해 살펴볼 거야.
당시 중국 사회에서 법가보다 큰 영향을 끼치고 있었던 것은
야…!
법가
유가
역시 유가였지.
딴 데 가 놀아!
휙
유가
유가는 인의에 기초한 왕도정치를 주장했어.
人義
그들은 세상이 어지러워지고 백성이 고통 받는 것은 전통의 인(仁)과 예(禮)가 무너졌기 때문이라고 생각했어.
세상 살기….
무섭다….
여기서, 인은 사람을 사랑하는 마음,
할머니.
예는 그것을 표현하는 방법을 이야기하지.
제가 들어 드릴게요!
이들은 특히 예의를 중시하는데,
예의라는 게 신하가 임금을,

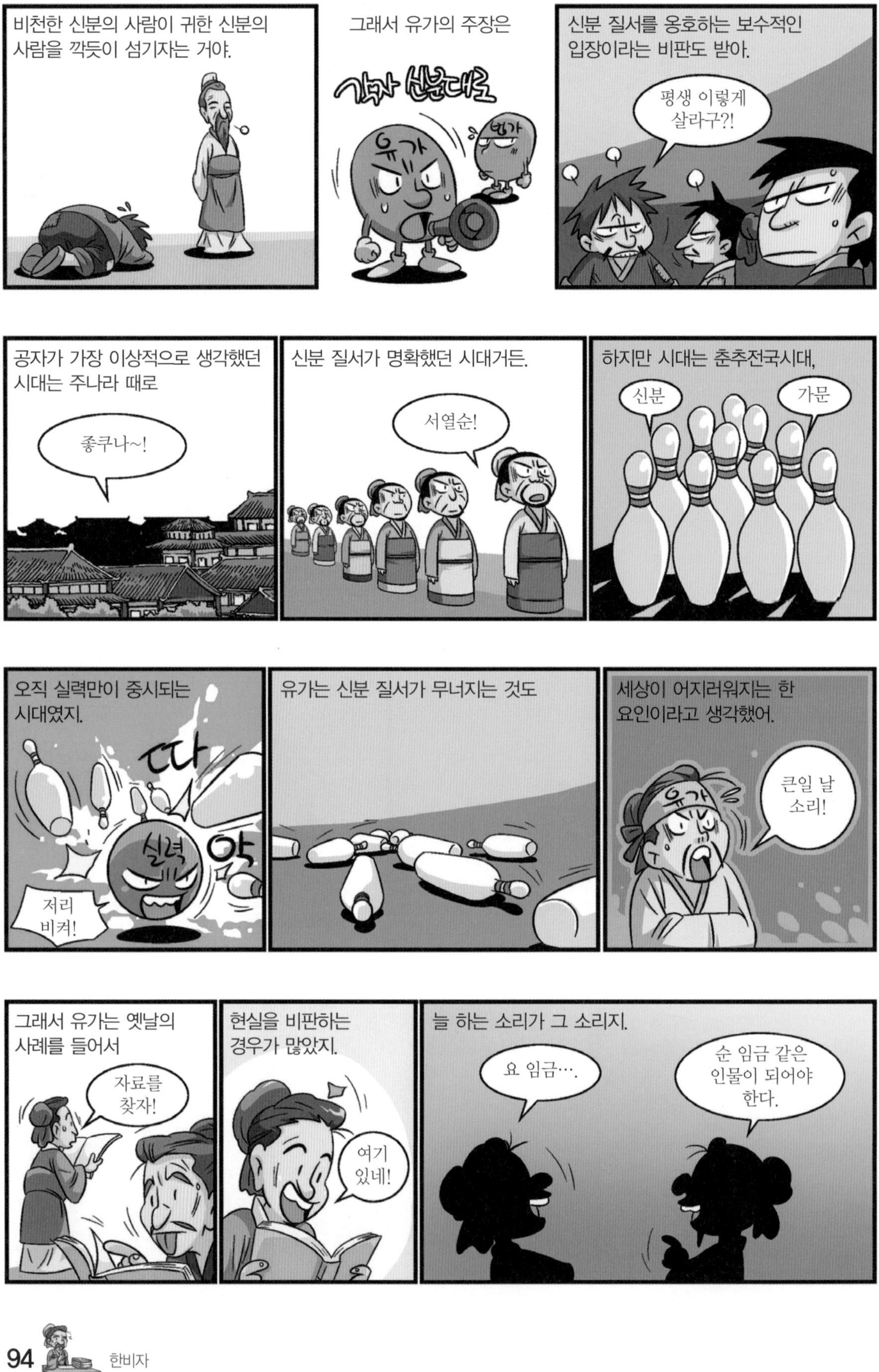
비천한 신분의 사람이 귀한 신분의 사람을 깍듯이 섬기자는 거야.
그래서 유가의 주장은
각자 신분대로
유가
법가
신분 질서를 옹호하는 보수적인 입장이라는 비판도 받아.
평생 이렇게 살라구?!
공자가 가장 이상적으로 생각했던 시대는 주나라 때로
좋쿠나~!
신분 질서가 명확했던 시대거든.
서열순!
하지만 시대는 춘추전국시대,
신분
가문
오직 실력만이 중시되는 시대였지.
따
실력
악
저리 비켜!
유가는 신분 질서가 무너지는 것도
세상이 어지러워지는 한 요인이라고 생각했어.
유가
큰일 날 소리!
그래서 유가는 옛날의 사례를 들어서
자료를 찾자!
현실을 비판하는 경우가 많았지.
여기 있네!
늘 하는 소리가 그 소리지.
요 임금….
순 임금 같은 인물이 되어야 한다.

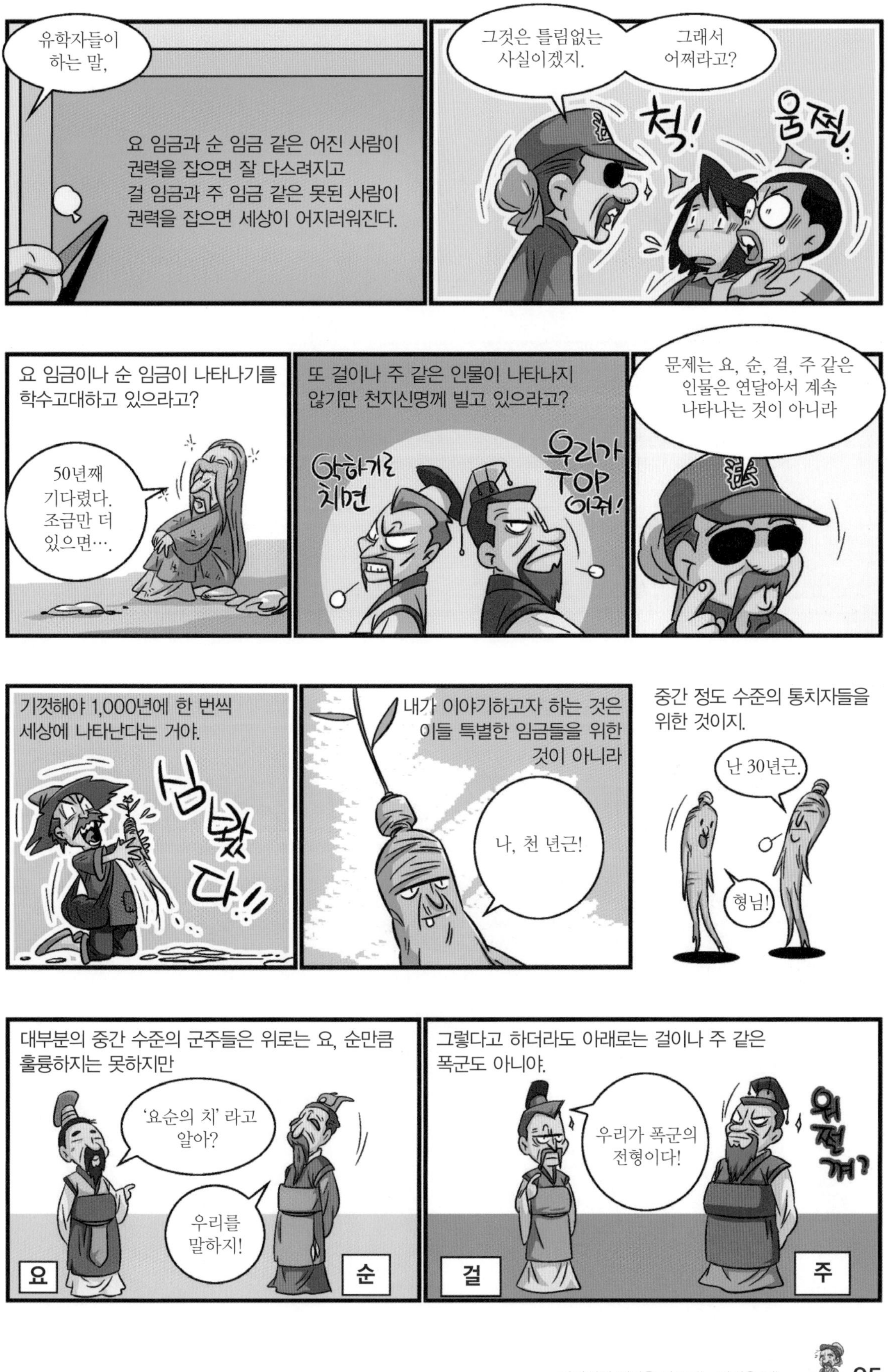
유학자들이 하는 말,
요 임금과 순 임금 같은 어진 사람이 권력을 잡으면 잘 다스려지고 걸 임금과 주 임금 같은 못된 사람이 권력을 잡으면 세상이 어지러워진다.
그것은 틀림없는 사실이겠지.
그래서 어쩌라고?
척!
움찔
요 임금이나 순 임금이 나타나기를 학수고대하고 있으라고?
50년째 기다렸다. 조금만 더 있으면….
또 걸이나 주 같은 인물이 나타나지 않기만 천지신명께 빌고 있으라고?
악하기로 치면
우리가 TOP이지!
문제는 요, 순, 걸, 주 같은 인물은 연달아서 계속 나타나는 것이 아니라
기껏해야 1,000년에 한 번씩 세상에 나타난다는 거야.
심봤다!!
내가 이야기하고자 하는 것은 이들 특별한 임금들을 위한 것이 아니라
나, 천 년근!
중간 정도 수준의 통치자들을 위한 것이지.
난 30년근.
형님!
대부분의 중간 수준의 군주들은 위로는 요, 순만큼 훌륭하지는 못하지만
'요순의 치' 라고 알아?
우리를 말하지!
요
순
그렇다고 하더라도 아래로는 걸이나 주 같은 폭군도 아니야.
우리가 폭군의 전형이다!
워쩐겨?
걸
주

그래서 법으로 나라를 바로 세우고 권력으로
다스리는 원칙이 필요한 거야.
법
권력
필수 요소!
만약 권세도 버리고 법도 등지고 요순 같은 인물이 나타나
나라를 다스리기를 기다린다고 하자.
휙
권력
법
걍… 기다리자.
다행히 요순 같은 임금이 나오면 비로소 세상이 잘 다스려지겠지만, 이는 1000년 동안 세상이 혼란하고 어지럽다가 비로소 한 번 잘 다스려지는 것이다. 법에 따라 정치를 하면 걸주 같은 폭군이 나타났을 때는 비록 어지러워지겠지만, 이는 1000년 동안 잘 다스려지다가 한 번 어지러워지는 것이다. 1000년 동안 잘 다스려지다가 한 번 어지러워지는 것과 한 번 잘 다스려지다가 1000년 동안 어지러워지는 것은 마치 빠른 말을 타고 반대로 달리는 것과 같아 서로 차이가 크다.(난세)
요 임금, 순 임금은
현명하고 훌륭한 임금이었지.
하지만 그분들은 1000년에 한 명
나올까 말까 하는 성군인데,
그 시대만 바라보고 그런 정치만을
바라는 것은 꿈이라는 거야.
히히.. 좋다~
놀고 있네….
완전 깨몽! 해야 한다는
거지.
딱
악!
대부분 세상에 있는 군주들은 그만큼
현명하지도,
흠.. 흠
그래… 나 머리 나쁘다..
또 지독한 폭군도 아닌 평범한 사람들.
Standard? Normal?
좋은 얘기 맞지?

문제는 그 평범한 군주들에게 도움이 될 만한 정치 방법을 찾아야 한다는 거지.
평범한 군주의 정치 노하우
이 혼란한 시대에
세상을 어떻게든 바로잡을 방법을 생각하지 않고
요순 같은 현명한 군주가 나타나서
짠~
부끄
멋진 정치를 펼쳐 태평성대를 만들어 주기만을 바라고 있는 것은,
고마워요
슈퍼맨
100일을 쫄딱 굶어 당장 죽게 된 사람에게
꼬르륵
이봐요!
훌륭한 쌀밥과 고기를 줄 테니 좀 더 기다리라는 말과 같다고 생각해.
더 참으면 이거 주지롱
결국 그 사람더러 굶어 죽으라는 얘기지.
멋진 말이네요. 선생님.
좀 더 나아가 난 인의로 다스리는 것은 불가능하다고 못 박았어.
한번 읽어 볼래?
인과 의를 중요시 여기며 이 원칙만을 가지고 사람들을 가르치는 것은, 사람에게 오래 살게 해 주겠다거나 지혜롭게 만들어 주겠다는 식의 인간이 하기엔 불가능한 일을 하겠다고 하는 것이다. 법도를 터득한 군주는 이러한 어리석은 주장을 받아들이지 않는다. 옛 요순 시대의 인의를 말하는 것은 지금 당장 나라를 다스리는 데 실질적인 도움이 안 된다. 현명한 군주는 여러 사람들로부터 훌륭한 군주라는 칭송을 받고자 하는 욕심을 뒤로 미루고, 당장의 나라를 바로잡고 백성들을 잘 다스릴 방법을 찾고자 하기 때문에, 인의를 강조하지 않는다.(현학)

지금 세상의 유학자들은 군주를 설득하면서, 관청이나 법과 제도 등 오늘 다스리는 데 도움이 될 방법을 분명히 말하지 않고, 옛날의 선왕들이 다스렸던 시대의 훌륭한 공적이나, 전해져 내려오는 이야기만 말한다. 오늘의 이 혼란이 극심한 실정은 살피지 않고, 좋았던 옛 시절 선왕들의 성공만 칭찬한다. 유학자들이 그럴 듯하게 꾸며 말하기를, 자신들의 말만 잘 들어 실천하면 가히 패왕이 될 수 있다고 한다. 이들은 사실이 아닌 미신을 믿으라고 하는 무당과 같은 인물들이다. 진정으로 현명한 군주는 실제 정치에서 적용될 수 있는 일을 주의 깊게 듣고, 실상에서 아무 쓸모없는 것들을 버리므로, 유학자들이 인의에 관한 말을 아무리 해도 이를 주의 깊게 듣지도, 말하지도 않는다.(현학)

유학자들은 늘 요순 때의 정치는 어땠고,
요·순
주나라 때의 정치는 어땠고 하면서
이 시기야말로….
주나라
옛날 좋은 시절의 한가한 이야기만 늘어놓는데,
태평성대였다….
거칠게 말하면 이거 다 쓸데없다.
法
그거 다 사기고 미신이다…. 뭐 이런 이야기지.
그래서 난 경고했어.
Notice
군주가 유학자들의 교묘한 설득에 넘어가 인의라는 명분에 현혹되어
조잘.. 조잘
진짜 나라에 이익이 되는 일이 무엇인지 생각하지 않는다면
폭력은 나빠요! 인의…
작게는 다른 나라에 땅을 빼앗기고,
이만큼 내 땅!
필요하심 가져요…
지이익

세력이 약해질 것이고,
…종이호랑이
내 말 좀 들어줘~
상황이 더욱 나빠지면 나라가 망하고 목숨을 잃게 될 것이라고.
크아악…!
폐하!
진짜 현명한 군주는
전하….
세상의 칭찬에 연연해 하지 않는다.
민심 돌보기 전략으로….
내실이 중요하오.
강력한 정치를 펴다보면 본의 아니게 피해를 입는 사람들도 생기는 법이지.
부자들은 세금을 더 내도록 하라.
끄응…
에잉~ 내 돈….
무엇보다 자신의 이익을 위해 여론을 형성하는 이들이 있는데
이번 법안은 가신들이 반대….
군주는 이런 점에 흔들리지 말고,
됐고!
굳건히 자신의 신념대로 정치를 밀고 나갈 필요가 있다고 생각했어.
노블리스 오블리주!
그럼 방법은?
이기적인 인간의 본성을 이용하라!
무릇 세상을 다스리는 데는 인정*에 기초해야 한다.
인정이란 자기의 이익을 좋아하고
손해를 싫어하는 것이다.(팔경)

* 인정(人情) – 사람이 본래 가지고 있는 감정이나 심정.

다시 말해 자신에게 이익 되는 것을 좋아하고 해가 되는 것을 싫어하는 것은
아… 달다!
약이 너무 써….
퉤퉤 퉤!
사람이면 모두가 비슷하다는 거지.
나두 사탕 먹고 싶은데….
키잉
이익을 좋아하고 손해를 싫어하는 인간성을 이용하여 나라를 다스려라!
끼야호..
선착순 공짜!
우르르
물론 세상 사람들이 모두 착해지면 더할 나위 없이 좋겠지.
1000원
무인 판매 양심껏!
사람을 믿자!
하지만 인간의 본성상
아무도 없지?
1000원
무인 판매 양심껏!
그걸 바라는 것 자체가 불가능한 것이니
아아 정녕코…
1000원
무인 판매 양심껏!
진짜 현명한 군주라면
본성을 바꾸기란….
사람들이 자기를 위해서 선량해지기를 기대하지 않지.
불가능한 일일 터…!
왜냐? 군주가 백성들이 착해지도록 아무리 노력해도
모두가 착하게 살라는
어명이시다!
흥..
그까이꺼 그게 뭐
온 나라 안에 진정 착한 백성들은 열을 헤아리지 못할 테니까….
진짜 착한 사람 봤어?
글쎄… 소문에 어디어디 아무개가 착하다던데….
에이~ 그런 사람이 어딨어!

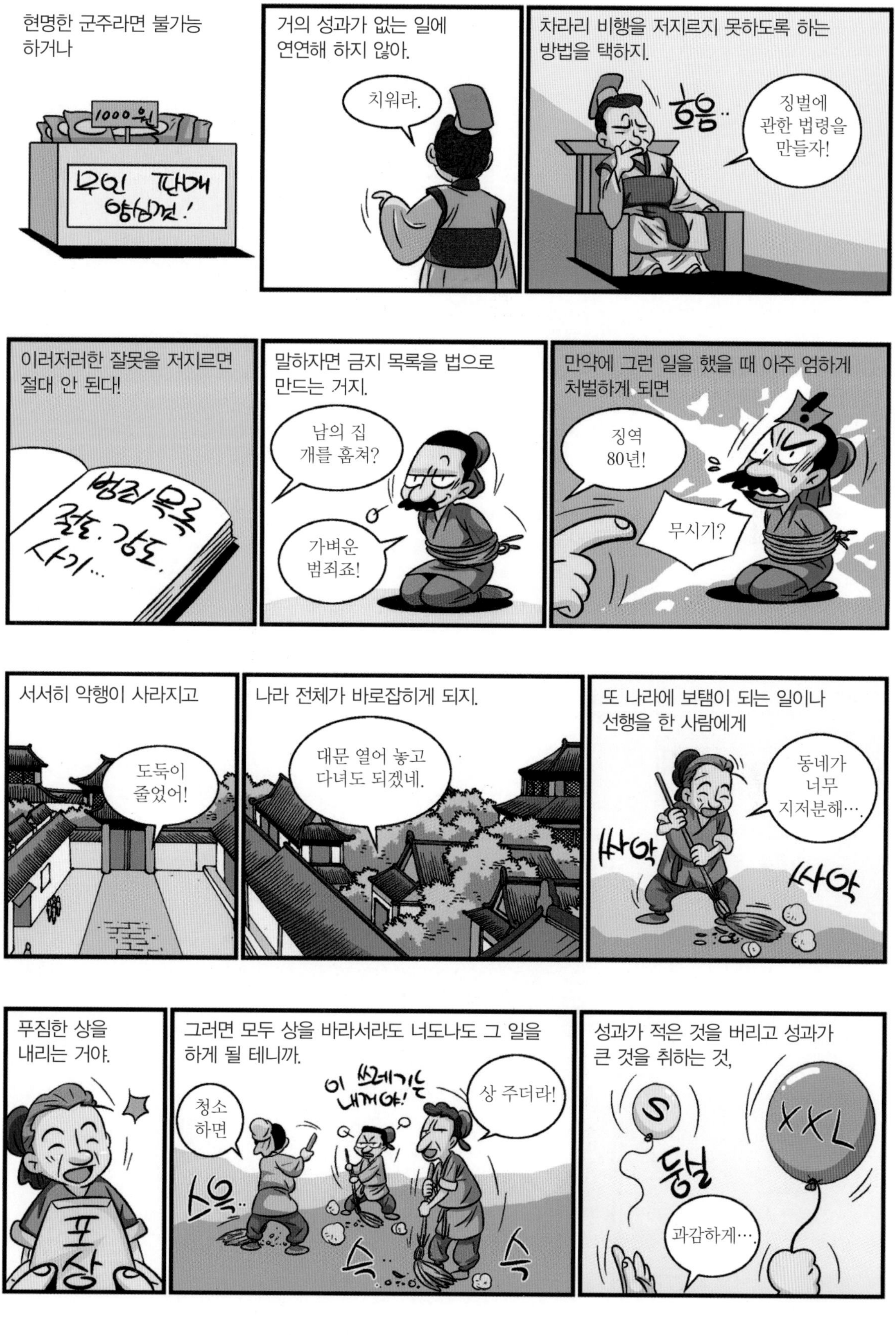
현명한 군주라면 불가능
하거나
1000원
무인 판매
양심껏!
거의 성과가 없는 일에
연연해 하지 않아.
치워라.
차라리 비행을 저지르지 못하도록 하는
방법을 택하지.
흐음..
징벌에
관한 법령을
만들자!
이러저러한 잘못을 저지르면
절대 안 된다!
범죄 목록
절도. 강도
사기...
말하자면 금지 목록을 법으로
만드는 거지.
남의 집
개를 훔쳐?
가벼운
범죄죠!
만약에 그런 일을 했을 때 아주 엄하게
처벌하게 되면
징역
80년!
무시기?
서서히 악행이 사라지고
도둑이
줄었어!
나라 전체가 바로잡히게 되지.
대문 열어 놓고
다녀도 되겠네.
또 나라에 보탬이 되는 일이나
선행을 한 사람에게
동네가
너무
지저분해….
싹악
싹악
푸짐한 상을
내리는 거야.
포상
그러면 모두 상을 바라서라도 너도나도 그 일을
하게 될 테니까.
청소
하면
이 쓰레기는
내꺼야!
상 주더라!
스윽..
슥
슥
성과가 적은 것을 버리고 성과가
큰 것을 취하는 것,
S
XXL
둥실
과감하게….

이건 통치자가 택해야 할
기본 수칙이라고 할 수 있어.
XXL
큰거…!
그래서 난 덕치가 아니라 법치,
덕
법치
하나를
고르자면
즉 법에 의한 통치를 주장하는 거야.
이걸로 하자!
법치
유학자들이 줄기차게 주장하는
인의에 의한 정치는
인의가
왔어요!
유학
객관성이 떨어진다는
면을 지적하고 싶어.
막연
하잖아…
法
인의?
어떤 것이 어질고
옳은 일인지 판단을
누가 하는데?
法
어차피 군주가 자의적으로
판단하는 거잖아.
이건
인의스럽
군….
객관적인 근거가 없이 군주의 자의적
판단에 의해
이건 아니고!
휙
벌을 받고 칭찬을 받기도 한다면
상벌을
내려라!
엥…?
신하와 백성들은 그 기준을
잘 몰라 갈팡질팡하며
기준이
뭐지?
군주의 눈치만 살피게 될 거야.
뭘 봐? 일들 해!
도를 터득한 군주야말로 인의를
멀리 하고 지능을 버리며 법으로써
백성을 복종하게 하는 법이지.
개도둑질은
징역
80년이라던데

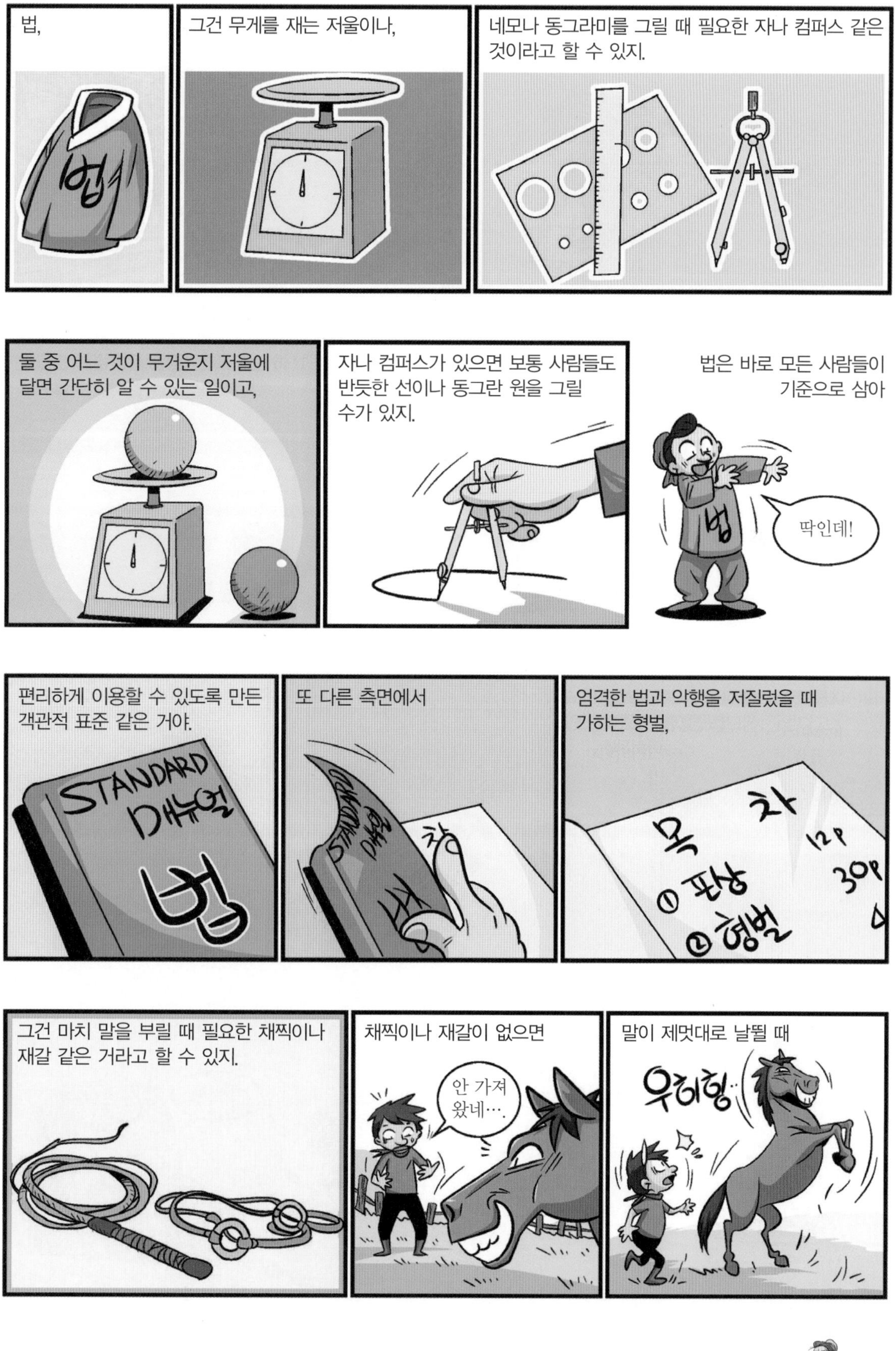

법,
법
그건 무게를 재는 저울이나,
네모나 동그라미를 그릴 때 필요한 자나 컴퍼스 같은 것이라고 할 수 있지.
둘 중 어느 것이 무거운지 저울에 달면 간단히 알 수 있는 일이고,
자나 컴퍼스가 있으면 보통 사람들도 반듯한 선이나 동그란 원을 그릴 수가 있지.
법은 바로 모든 사람들이 기준으로 삼아
법
딱인데!
편리하게 이용할 수 있도록 만든 객관적 표준 같은 거야.
STANDARD
매뉴얼
법
또 다른 측면에서
엄격한 법과 악행을 저질렀을 때 가하는 형벌,
목 차
① 포상 12p
② 형벌 30p
그건 마치 말을 부릴 때 필요한 채찍이나 재갈 같은 거라고 할 수 있지.
채찍이나 재갈이 없으면
안 가져 왔네….
말이 제멋대로 날뛸 때
우히힝…

제압할 수단이 없어서 천하의 뛰어난 말 조련사도 말을 잘 다룰 수 없을 거야.
멈춰…!
한마디로 법은 군주가 정치를 잘할 수 있는 비결이지.
부아앙
법
또 법과 상벌은
육지에서의 견고한 수레나 좋은 말,
푸륵
강이나 바다에서의 튼튼한 배와 좋은 노에 비유해서 설명할 수 있을 거야.
좋은 말과 견고한 수레가 있으면
어떤 험한 고갯길도 힘들이지 않고 거뜬히 넘을 수가 있지.
푸히히힝
또 튼튼한 배에 좋은 노를 갖추면
강이나 바다를 모두 안전하게 건널 수가 있잖아.
따다따닥
문제 없지!
쌔앵
그럼 법이 어떤 문제를 해결해 줄 수 있는지
어서 와.
법

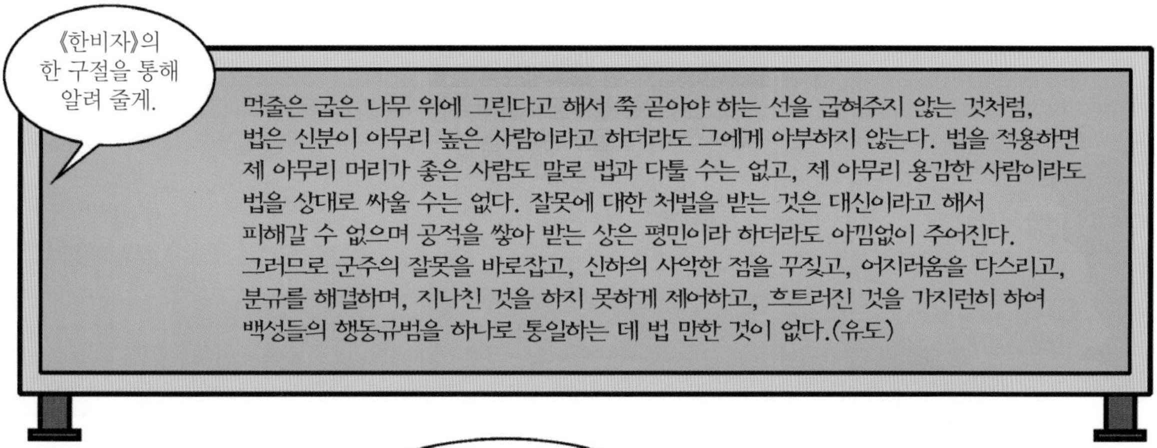
《한비자》의 한 구절을 통해 알려 줄게.
먹줄은 굽은 나무 위에 그린다고 해서 쭉 곧아야 하는 선을 굽혀주지 않는 것처럼, 법은 신분이 아무리 높은 사람이라고 하더라도 그에게 아부하지 않는다. 법을 적용하면 제 아무리 머리가 좋은 사람도 말로 법과 다툴 수는 없고, 제 아무리 용감한 사람이라도 법을 상대로 싸울 수는 없다. 잘못에 대한 처벌을 받는 것은 대신이라고 해서 피해갈 수 없으며 공적을 쌓아 받는 상은 평민이라 하더라도 아낌없이 주어진다. 그러므로 군주의 잘못을 바로잡고, 신하의 사악한 점을 꾸짖고, 어지러움을 다스리고, 분규를 해결하며, 지나친 것을 하지 못하게 제어하고, 흐트러진 것을 가지런히 하여 백성들의 행동규범을 하나로 통일하는 데 법 만한 것이 없다.(유도)

어때? 이렇게 좋고 아름다운 법과 상벌을
군주들이 나라를 통치하는 데 근본으로 삼는 것은 당연한 일이겠지?
넹~
옛 성인들 역시 만사를 법대로 실행하는 것을 중요하게 생각했어.
허허..
빌려간 돈 갚으시지요.
돈 없소! 법대로 하시게.

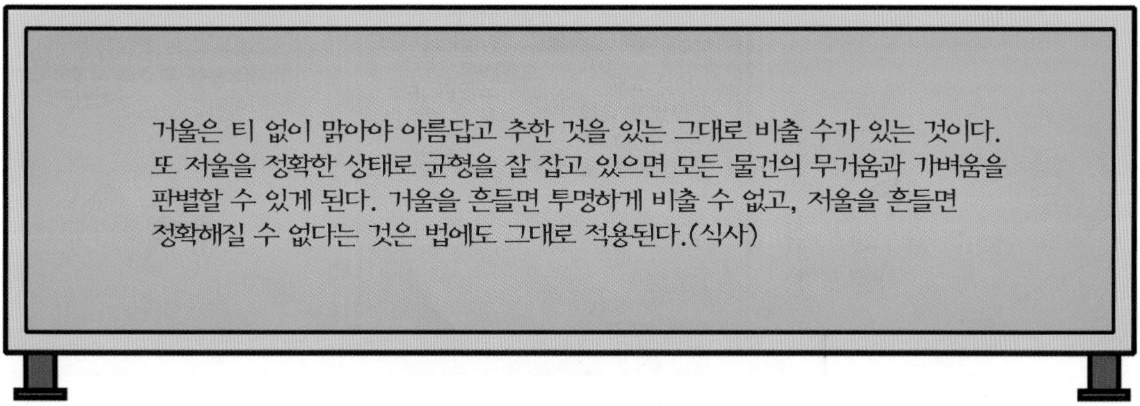
거울은 티 없이 맑아야 아름답고 추한 것을 있는 그대로 비출 수가 있는 것이다. 또 저울을 정확한 상태로 균형을 잘 잡고 있으면 모든 물건의 무거움과 가벼움을 판별할 수 있게 된다. 거울을 흔들면 투명하게 비출 수 없고, 저울을 흔들면 정확해질 수 없다는 것은 법에도 그대로 적용된다.(식사)

거울이 있는 그대로를 비추는 것처럼,
누구… 시죠?
또 저울이 가벼움과 무거움을 판명하는 것처럼,
다이어트 1년째
바늘이 한 바퀴 돌았다.
법은 나라를 다스리는 데 있어서

객관적인 기준이자
기준!
법
튼튼하네.
나라를 통치하는 근본이 되어야겠지.
나라의 근본, 즉 법이 흔들리면
휙
군주의 드높은 지위도 아무 소용이 없지.
어…
어…?
언제 무너질지 모르는
와르르
위태로운 지경에 이르는 것은 시간 문제야.
법이 확실히 세워져 있으면
당연히 군주의 지위도 높아지고 더욱 귀하게 되겠지.
법
어디 군주의 지위가 올라가는 것뿐이겠니?
또 뭐?
법에 의한 통치를 하느냐 않느냐에 따라
울트라 짱 비료
법
나라 전체가 흥하느냐 망하느냐의 기로에 서게 돼.
법에 의해 정치를 하는 나라는 점점 강해지고,

법을 무시하는 나라는 점점 약해져 망하게 될 것이라는 사실을,
추욱
이 연사, 다시 한 번 힘차게 힘차게 외치는 바입니다!!
내가 너무 흥분했나?
마음을 차분히 가라앉히고 다시 글로 호소할게.
머엉

법을 확실하게 세우는 나라는 강하고, 법을 무시하여 대수롭지 않게 여기는 나라는 약해진다고 했으니, 나라가 부강해지고 약해지는 방법은 이와 같이 분명한 것이다. 그러나 어리석은 군주들은 정치를 하는 데 있어서 법을 분명히 하기 위해 노력하지 않으니, 나라가 점점 약해져서 끝내는 멸망하게 되는 것도 당연한 일이다. 집안에 생계를 꾸리기 위한 일정한 생업이 있으면 아무리 흉년이 들어도 굶주리지 않는 법이고, 나라에 정해진 법이 있으면 나라가 아무리 위태로운 사태에 직면해도 망하지 않는다.(식사)

법이 있으면,
法
그리고 법에 의해 나라가 다스려지면
아무리 나라가 위태로운 처지에 빠지더라도
어? 어...?
미끌
빠진다, 빠져!

절대 망하지 않는다.
그리고 법을 분명히 하는 나라는 강해진다!
전쟁기의 나라를 이끌어가는 군주에게 이보다 더 큰 진리는 없으리라 믿어.
法
징그러워요

제7장 법, 단호함으로 세상을 살린다

이번 장에서는 법은 어떠해야 하는지에 대한 이야기에서부터 출발하도록 하자.
한숨 돌리고 시작할까?
法
오랫동안 이야기를 해 목이 칼칼하니 물 한 잔 먹고.
꿀꺽…
法

법이란 문서로 기록하고 편찬하여 관청에 보관하고서, 모든 백성들이 알 수 있도록 공포해야 하는 것이다.(난삼)

그러므로 법보다 더 분명한 것은 없다. 유능한 군주가 공포한 법은 나라 안의 모든 사람들, 낮고 천한 사람들까지도 법령을 익히 들어서, 그 내용을 알지 못하는 사람이 없어야 한다. (난삼)

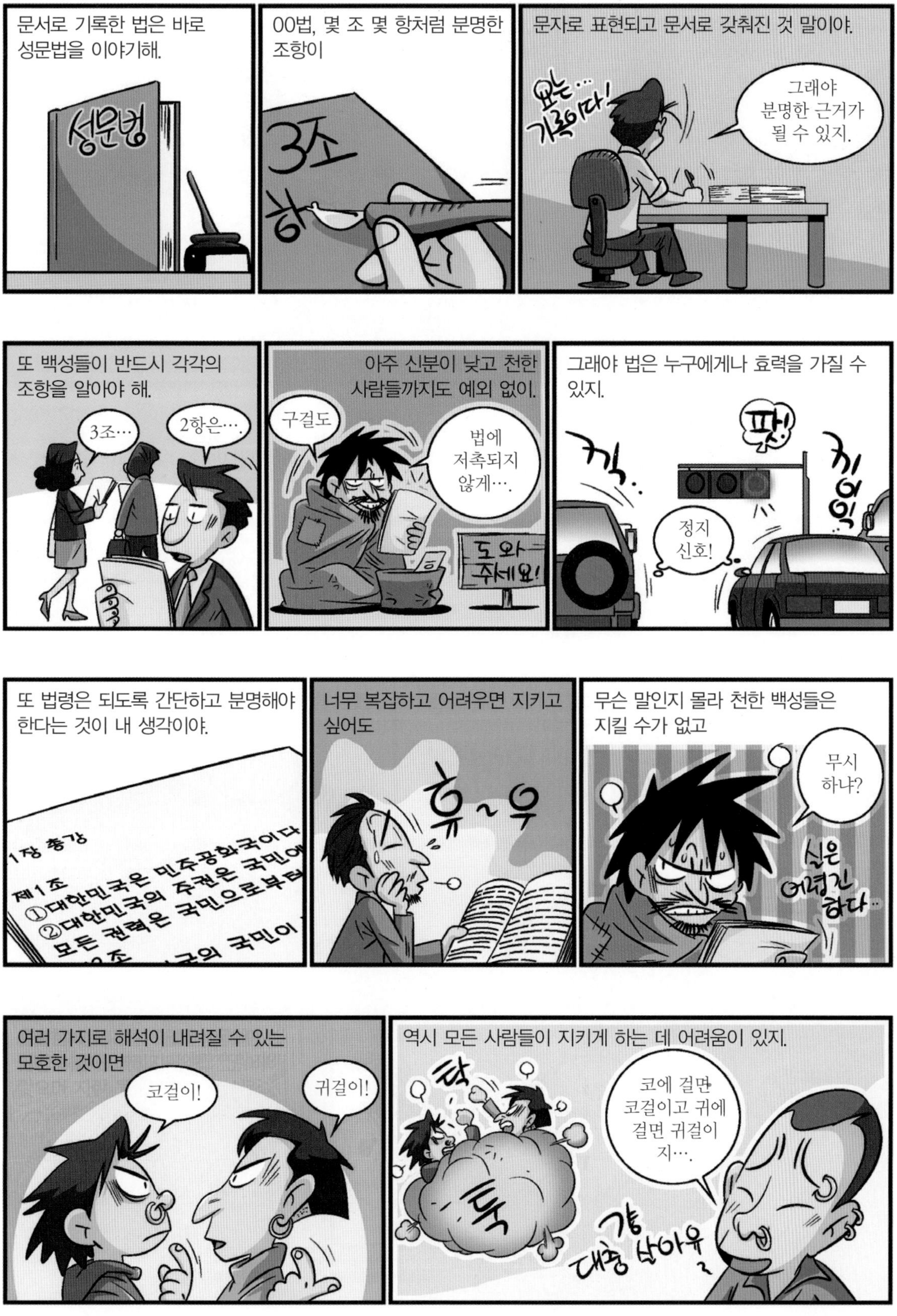
문서로 기록한 법은 바로 성문법을 이야기해.
성문법
00법, 몇 조 몇 항처럼 분명한 조항이
3조
하
문자로 표현되고 문서로 갖춰진 것 말이야.
그래야 분명한 근거가 될 수 있지.
또 백성들이 반드시 각각의 조항을 알아야 해.
3조…
2항은….
아주 신분이 낮고 천한 사람들까지도 예외 없이.
구걸도
법에 저촉되지 않게….
도와주세요!
그래야 법은 누구에게나 효력을 가질 수 있지.
팍!
정지 신호!
끼익
또 법령은 되도록 간단하고 분명해야 한다는 것이 내 생각이야.
1장 총강
제1조
①대한민국은 민주공화국이다
②대한민국의 주권은 국민에
모든 권력은 국민으로부터
너무 복잡하고 어려우면 지키고 싶어도
휴~우
무슨 말인지 몰라 천한 백성들은 지킬 수가 없고
무시 하냐?
실은 어렵긴 하다…
여러 가지로 해석이 내려질 수 있는 모호한 것이면
코걸이!
귀걸이!
역시 모든 사람들이 지키게 하는 데 어려움이 있지.
탁
코에 걸면 코걸이고 귀에 걸면 귀걸이 지….
툭
걍 대충 살아유~

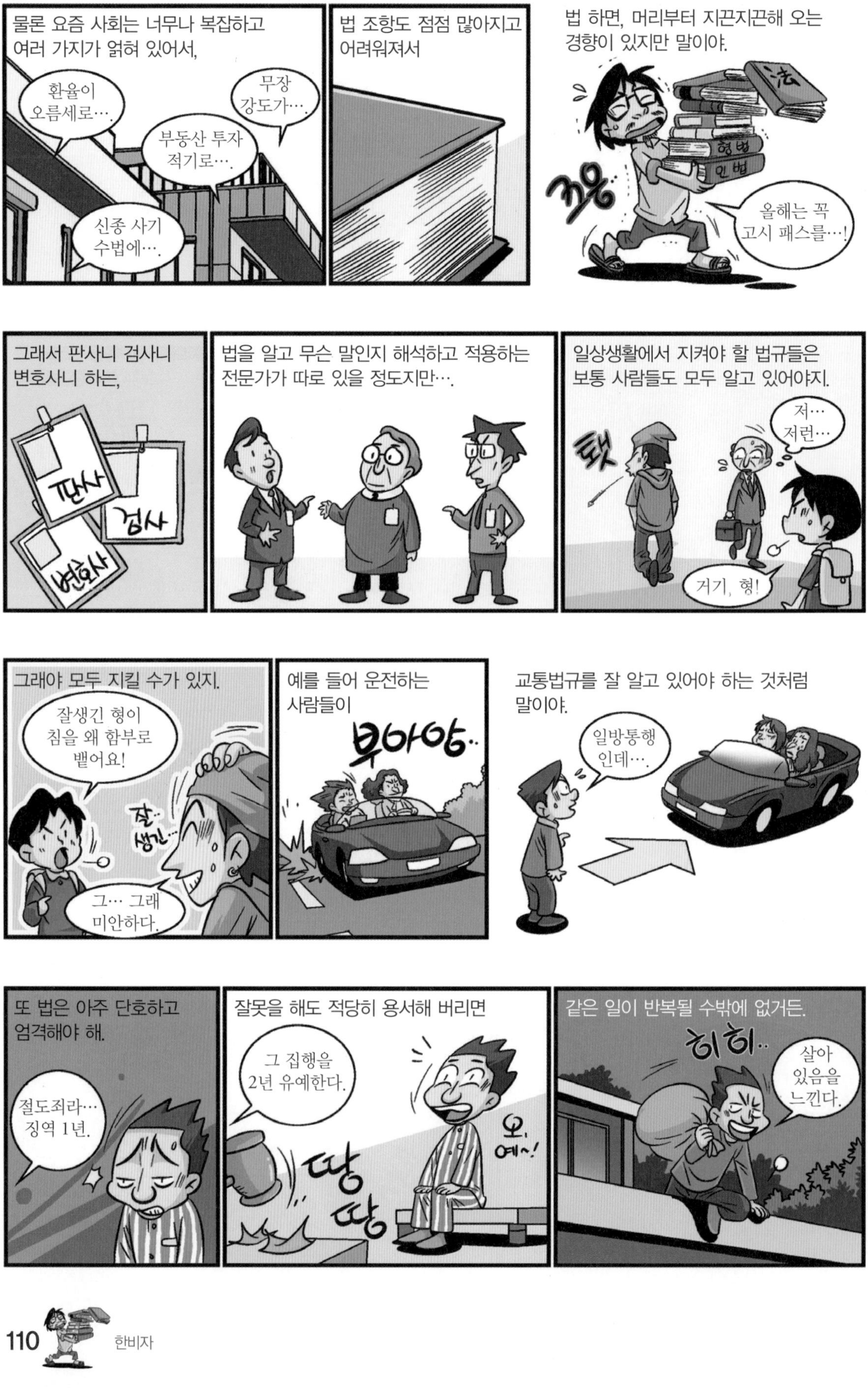
물론 요즘 사회는 너무나 복잡하고 여러 가지가 얽혀 있어서,
환율이 오름세로….
무장 강도가….
부동산 투자 적기로….
신종 사기 수법에….
법 조항도 점점 많아지고 어려워져서
법 하면, 머리부터 지끈지끈해 오는 경향이 있지만 말이야.
法
형법
민법
끄응…
올해는 꼭 고시 패스를…!
그래서 판사니 검사니 변호사니 하는,
판사
검사
변호사
법을 알고 무슨 말인지 해석하고 적용하는 전문가가 따로 있을 정도지만….
일상생활에서 지켜야 할 법규들은 보통 사람들도 모두 알고 있어야지.
퇫
저… 저런….
거기, 형!
그래야 모두 지킬 수가 있지.
잘생긴 형이 침을 왜 함부로 뱉어요!
잘… 생긴…
그… 그래 미안하다.
예를 들어 운전하는 사람들이
부아앙..
교통법규를 잘 알고 있어야 하는 것처럼 말이야.
일방통행 인데….
또 법은 아주 단호하고 엄격해야 해.
절도죄라… 징역 1년.
잘못을 해도 적당히 용서해 버리면
그 집행을 2년 유예한다.
땅
땅
오, 예~!
같은 일이 반복될 수밖에 없거든.
히히..
살아 있음을 느낀다.

잘못을 하면 아주 큰 벌을 내려야 해.
히죽
절도죄로서….
그래야 이익을 좋아하는 인간의 본성상 큰 불이익을 당하고 싶지 않아서라도
징역 50년!
땅
땅
악!
법을 어기는 일 따윈 없을 테니까 말이야.
엉..엉
한번 잡혔을 때… 멈출걸!
이런 비유가 적당할 것 같구나.
法
불은 겉보기에는 무섭지만 화상을 입는 사람이 드문 반면에
화르르
이크!
물은 겉보기에는 부드럽지만 빠져죽는 사람은 많은 법이지.
아, 고요한 호수….
사… 살려!
물처럼 부드럽게 법을 운영하여
와…
좋아!
여기서 수영하자!
법을 어겨도 벌이 가볍다거나 쉽게 용서해 버리면
풍
풍
덩
덩
오히려 사람들이 입는 피해가 더 크다는 거야.
익사 사고 다발 지역
하지만 법을 한 치의 오차 없이
훅
불처럼 단호하고 강하게 세우면
억새 태우기 하네….
사람들이 입는 피해가 적다는 거지.
돌아 가자!

다음 이야기도 법이 엄중한 것이 얼마나 유용한가를 보여주는 사례야.
조나라 태수 동안우가 관내를 순시하다가 돌담을 깎아 세운 듯 절벽으로 이루어진 아주 깊은 골짜기를 만났어.
절묘 하다!
태수가 마을 사람들에게 물었지.
이 골짜기 안에 들어가 본 사람이 있는가?
마을 사람이 대답했어.
아무도 없습니다.
아이들이나 장님, 귀머거리, 미치광이 가운데도 이곳에 들어간 자는 없단 말인가?
없습니다.
개나 소, 말 돼지 같은 동물들은 어떤가?
그러한 짐승도 들어간 일이 없습니다.
자꾸 물으셔…
이에 태수는 크게 탄식하며 말했어.
후우..

'난 이 골짜기를 보고 백성을 잘 다스리는 법을 발견했다. 즉 법률을 엄격히 하여 만일 범하는 자가 있으면 사형에 처하되 마치 이 골짜기에 들어가면 죽음을 면할 수 없는 것과 같이 한다면 모두들 형벌을 두려워하여 감히 범하는 자가 없을 것이다. 이렇게 한다면 어찌 다스려지지 않겠느냐?'(내저설상)

공자도 같은 생각이었나 봐.
은나라 법에 재를 길바닥에 버리는 자는
사형에 처한다는 조항이 있었지.
농담도 잘해셔~
너무 지독하지?
길바닥에 재를 버렸다고 사형이라니?
설..마!
끔찍해~
공자의 제자 자공도 형벌이 너무 가혹하지 않느냐고 공자에게 물었더니 공자가 대답했어.
이는 나라를 다스릴 줄 아는 자라고 할 수 있다.
말하자면 재를 길바닥에 버리면
바람에 날려 사람의 몸에 붙고 눈에도 들어가게 된다.
휘잉~
악!
그렇게 되면 그 사람은 성을 낼 것이고
어떤 놈이 재를…!
성을 내면 다투게 되며
그놈이 나다, 왜?
끝내는 양편의 삼족*이 서로 살상되는 일이 벌어지기에 이르는 것이다.
퍽
으아아
쿵
퍽

***삼족** – 3족이란 부모, 형제, 처자 또는 친가, 외가, 처가(《사기》)를 말하거나 아버지, 아들, 손자(《예기》), 아버지의 형제, 자신의 형제, 아들의 형제(《의례》)를 말한다.

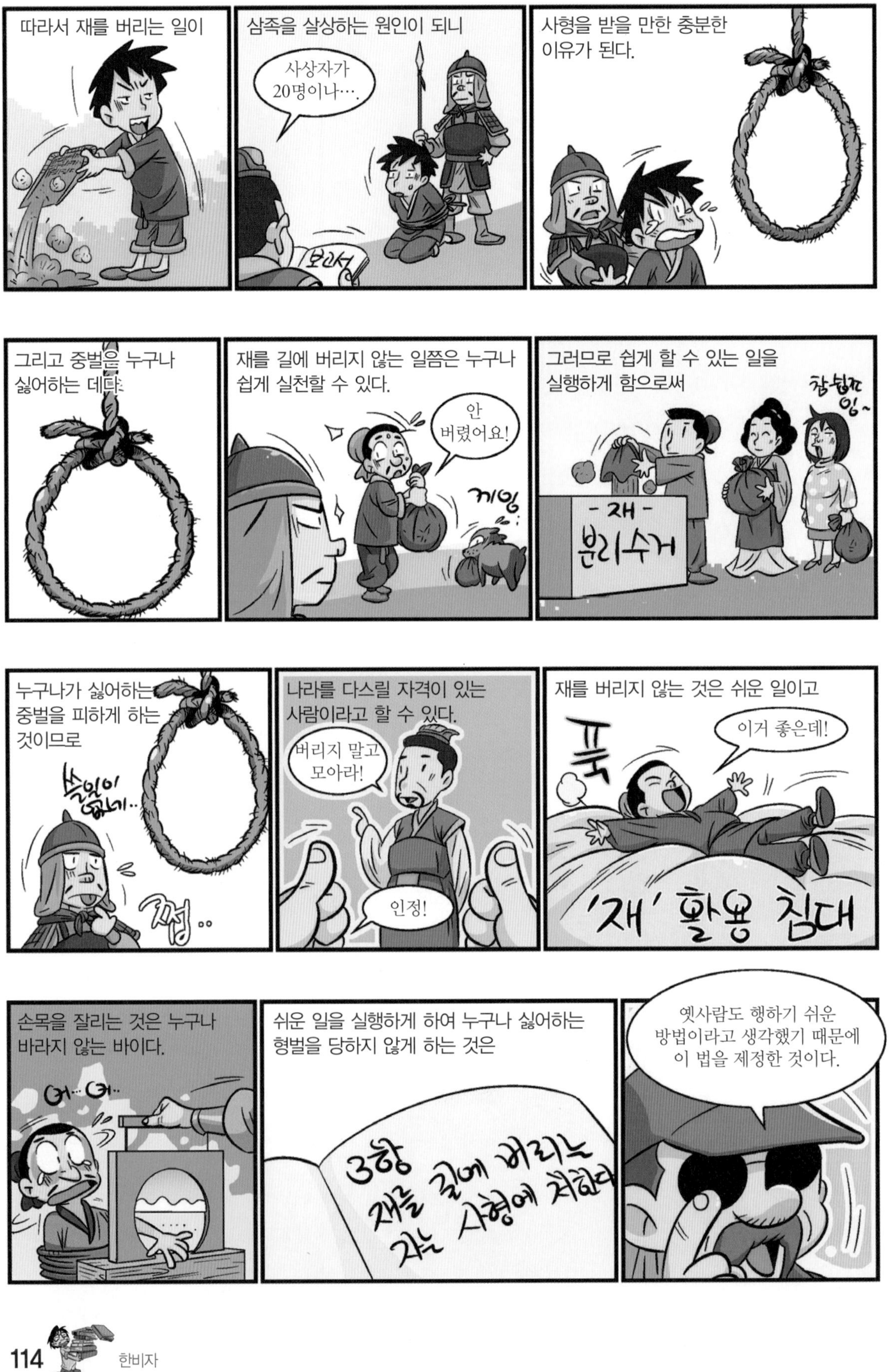
따라서 재를 버리는 일이
삼족을 살상하는 원인이 되니
사상자가 20명이나….
보고서
사형을 받을 만한 충분한 이유가 된다.
그리고 중벌은 누구나 싫어하는 데다
재를 길에 버리지 않는 일쯤은 누구나 쉽게 실천할 수 있다.
안 버렸어요!
끼잉
그러므로 쉽게 할 수 있는 일을 실행하게 함으로써
참 쉽죠잉~
-재- 분리수거
누구나가 싫어하는 중벌을 피하게 하는 것이므로
쓸일이 없네..
쩝..
나라를 다스릴 자격이 있는 사람이라고 할 수 있다.
버리지 말고 모아라!
인정!
재를 버리지 않는 것은 쉬운 일이고
푹
이거 좋은데!
'재' 활용 침대
손목을 잘리는 것은 누구나 바라지 않는 바이다.
어… 어…
쉬운 일을 실행하게 하여 누구나 싫어하는 형벌을 당하지 않게 하는 것은
3항 재를 길에 버리는 자는 사형에 처한다
옛사람도 행하기 쉬운 방법이라고 생각했기 때문에 이 법을 제정한 것이다.

또 하나, 정말 중요한 것!
법은 반드시 지켜져야 한다!
군주 자신 이외에는 어떤 예외도 있을 수 없다.
군주는 왜 예외냐고?
누가 따져?
너희들이 살고 있는 현대사회는 민주주의의 원칙이 일반화되어 있기 때문에
왕이나 대통령도 법 앞에 예외일 수 없지만,
재임 중 비자금을…
내가 살았던 시대는
군주의 말은 곧 법인 절대군주 시대였으니까.
법
법
법
물론 군주는 법을 자신의 뜻에 따라 바꿀 수도 있었지.
나처럼?
그러니 딱 한 사람 군주는 예외였던 거야.
언더 스탠?
하지만 군주가 법에 따라 정치를 해야 한다는 근본 원칙은 변하지 않아.
기준을 삼아서….
그래야 모든 사람들에게 법은 반드시 지켜질 것이라는 믿음을 줄 수 있으니까.
왕 씨가 재를 몰래 버리다 잡혔대….
저런… 죽은 목숨이네 그려….

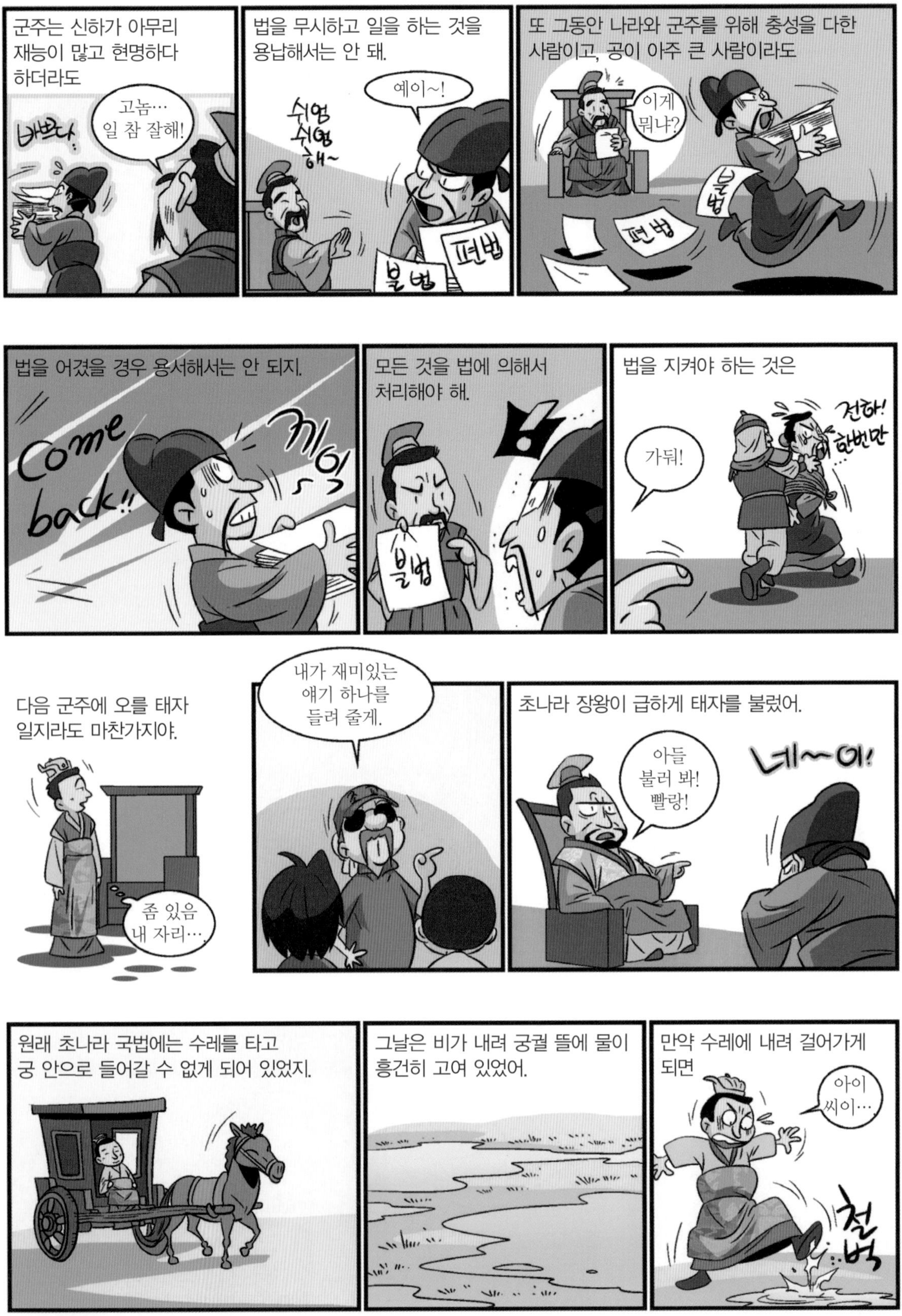

군주는 신하가 아무리 재능이 많고 현명하다 하더라도
바쁘다!
고놈… 일 참 잘해!
법을 무시하고 일을 하는 것을 용납해서는 안 돼.
쉬엄 쉬엄 해~
예이~!
편법
불법
또 그동안 나라와 군주를 위해 충성을 다한 사람이고, 공이 아주 큰 사람이라도
이게 뭐냐?
불법
편법
법을 어겼을 경우 용서해서는 안 되지.
Come back!!
끼익
모든 것을 법에 의해서 처리해야 해.
불법
법을 지켜야 하는 것은
가둬!
전하! 한번만…
다음 군주에 오를 태자 일지라도 마찬가지야.
좀 있음 내 자리…
내가 재미있는 얘기 하나를 들려 줄게.
초나라 장왕이 급하게 태자를 불렀어.
아들 불러 봐! 빨랑!
네~이!
원래 초나라 국법에는 수레를 타고 궁 안으로 들어갈 수 없게 되어 있었지.
그날은 비가 내려 궁궐 뜰에 물이 흥건히 고여 있었어.
만약 수레에 내려 걸어가게 되면
아이 씨이…
철벅

옷이 더러워질까 봐 태자는 수레를 탄 채 그대로 궁 안에 들어갔지.
갸 가자!
철벅
문지기가 앞을 가로막았어.
STOP!!
무시기?
내전에서는 수레를 몰 수 없는데 지금 태자께서는 국법을 어겼습니다.
왕께서 급히 부르시기 때문에 물이 없는 곳으로 돌아갈 수가 없어서 할 수 없다.
짜식.. 내가 누군데!
태자는 수레를 계속 몰았지.
비켜라!
다가닥
문지기는 창을 들어 말을 치고, 수레를 부숴버렸어.
미친…!
와장
임금을 만난 태자가 울면서 호소했지.
우왜왜.. 아빠~!!
태자의 말을 들은 임금이 말했어.
그 문지기는 이 늙은 임금을 위해서 능히 법을 지켰고 태자의 마음에 들기 위해 아첨하지 않았으니 참으로 훌륭한 신하라고 할 수 있다.
그리고 왕은 문지기를 두 계급 특진시키고,
병장 해라!
태자에게는 다시는 그러한 실수를 하지 않도록 훈계했어.
잘하자 응?
죄송여.. 흑..
이렇게 법의 일관성을 지킨 왕이었기에 초의 장왕은 춘추 5패로서 천하를 호령하게 되었지.

위와 같은 사례는 적잖게 있지만,
귀감사례
사실 법이 잘 갖추어지더라도
法
만인 앞에 평등!
힘 있고 배경이 있는 사람은 죄를 짓고도 큰 탈이 없지만,
누가 날 건드려!
횡령
뇌물수수
탈세
가난하고 힘없는 백성들은 법에 걸리는 즉시 처벌을 받는 경우도 많아.
삐뽀.. 삐뽀..
차라리 잘 된거~ 밥은 먹여 주잖여.
POLICE
권력이 있다거나 돈이 아주 많은 사람들은 죄를 지어도
탈세!
법망을 유유히 빠져나가는 적이 많지.
참나~ 좋게, 좋게..
뇌물
오죽하면 '유전무죄, 무전유죄',
무전
유죄
즉 돈이 있으면 무죄요,
새삼스레….
돈이 없으면 유죄라는 거지.
울긴그래.. 확!
밥은 주니까….
욱..욱
돈도 없고 지위도 낮은 가난하고 힘없는 서민들은
우엥
여보 방 빼래요….
망할 가난..!!
안 그래도 살기 팍팍한데 이런 일까지 생기면 한마디로 '이놈의 세상이 싫다!' 라는 생각이 들겠지?
추락주의

옛 기록이나 《춘추》 같은 책을 봐도, 법을 어기고 나라에 반역을 꾀하는 등의 무거운 죄를 지은 이들은 항상 존귀한 지위에 있는 신하들이다. 그러나 세상 돌아가는 사정을 살펴보면 법령을 잘 갖추고 형벌이 행하여질 때라도, 높은 지위에 있는 자는 죄를 지어 나라에 아무리 큰 해악을 끼쳐도 대부분 아무 벌도 받지 않고, 다만 신분이 낮고 천한 자들만이 사소한 죄를 지어도 즉시 체포된다든지 죽임을 당하게 된다. 그리하여 가난하고 천한 백성들은 절망하고 호소할 곳이 없다.(비내)
너희들이 살고 있는 사회에서도 그런 일이 있니?
부디, 그런 일은 없기를,
흠..
法
말 그대로 법은 거울처럼 투명하고 저울처럼 공평하기를!
이제 좀 더 근본적인 질문에 접근할 때가 된 것 같지?
그럼 도대체 법치의 궁극적인 목적은 무엇일까?
턱
그냥 사람들이 편하게 살 수 있는 방법이기 때문에?
법이 있으니….
편안하군.
또는 단순히 군주가 다스리기 편하라고,
좌로 봤!
군주가 천하의 패권을 장악하기 위한 수단으로 유용하기 때문에?
천만에!
이와 관련해 조금 길지만 내 주장을 소개할게.
法

나라를 다스리는 데 있어 법을 분명하게 집행하고 벌을 엄하게 주는 것은 모든 세상 사람들이 순리를 저버리고 문란해지는 것을 막아 천하의 재앙을 없도록 하기 위해 최선을 다하는 일이다. 그리하여 힘을 가진 자가 약한 자를 업신여겨 상식에 어긋나는 말도 안 되는 짓을 못하게 하고, 다수의 사람이라고 하더라도 소수에 대하여 난폭한 짓을 못하게 막는 것이다. 이와 같이 나라가 반듯하게 다스려지므로, 나이를 먹은 노인도 여생을 편안하게 보낼 수 있고, 부모가 없는 나이 어린 고아까지도 무사히 키워질 수 있다. 외국에 의해 국경이 침범을 받는 일도 없고, 임금과 신하는 서로 화목하며, 아비와 자식은 서로를 감싸주며 전쟁터에 나가 죽는다든가 외국의 포로가 되는 일도 없어진다. 이와 같이 법을 통해 나라를 다스리게 되면 모든 백성들은 행복을 누릴 수 있게 된다. 어리석은 사람들은 이와 같은 사실들을 알지 못하고 법으로 다스리는 것을 폭정이라고 한다.(간겁시신)
후세에 내가 피도 눈물도 없는 냉혹한 사람으로
한비요?
사학자
잘못 알려진 점이 없지 않지만,
완전 냉혈한 이지요!
이래 봬도 난 따뜻한 가슴을 가진 이상주의자였다니까.
서민이 잘사는 나라가 이상적인 나라야.
내가 그토록 진심을 다해 열정적으로 법치를 외친 것은
굵고 싱싱한
법치
법에 의한 통치가
법치가아 왔어요
궁극적으로는 어떤 권력이나 물질적 부도 가지지 못한,
사회의 약자를 보호하고,
저기 쉼터로 갑시다!
평화롭고 살맛나는 사회를 만들 것이라는 확신을 가졌기 때문이야.
천천히 드세요. 그리고 일어나셔야죠!
우우.. 고맙습니다

사실 권력이 있는 자,
그래 그래. 주말에 필드 나가자구.
하하
권력
힘이 아주 센 사람,
다 쓸어버려!
재물이 아주 많은 자는
자주 보네?
특별한 법적 보호 장치가 없더라도
세무감찰이….
세상을 살아가는 데 큰 불편이 없지.
괜찮아. 신경꺼!
필드 갔다올게
강자니까 같은 조건이라면 훨씬 유리해.
나이~ 샷!
문제는 어떤 자기 보호 수단도 갖지 못한 약자들이야.
법은 이들을 위해서 더욱 필요하다는 것이 내 생각이었어.
법은 바로 이들을 보호하는 장치니까.
차라리!
유기견
말이 나온 김에 내가 꿈꾸었던 세상에 대해 덧붙이고 넘어갈게.
이미 앞에서 내가 사람들이 모두 행복하게 살 수 있는,
도가 실현된 사회를 목표로 법치를 주장했다는 설명 들었지?

서로 원한을 가지는 일이 없이 순박한 사람들이 모여 사는 사회,
생일 떡 좀 드세요.
하하
왕 씨 생일이랴….
호호
전쟁이 없어 전쟁으로 인한 희생도, 전쟁에서 이름을 떨친 영웅호걸도 없는 사회.
수백 년 동안이나 계속된 전쟁의 소용돌이 속에서 살았던
나, 한비가 꿈꾼 사회는 바로 그것이었어.
그리고 법에 의한 통치만이
법
이런 사회를 만들어낼 수 있다는 게 나의 확신이었지.
현명한 군주의 도는 법에 의한 통치에 충실하고, 그 법은 사람의 마음을 충실하게 한다.(안위)
결국 법에 의한 통치는 이기적인 인간의 마음까지도 순수하게 만든다는 사실,
이런 평화를….
법이 잘 정비되어서야.
아무렴.
내가 이야기하고 싶은 결론은 이것이었어.

엄격하고 공정한 법에 의한 통치의 중요성은
공명 정대!
法
이만큼 강조 했으면 이제 귀에 못이 박혔을 거야.
그러니까요!
하지만 그것으로 모든 문제가 다 해결된다면
정치가 어렵다는 말 따윈 없을지도 몰라.
너나 잘 하세요.
뜻대로 못해!
그런데 문제는 법만 세웠다고
됐어!
헌법
나라가 다 잘 다스려지는 것은 아니라는 거야.
이봐요!
뭐야…?
헌법
사실, 너희들이 사는 시대에 법과 규칙이 없는 나라가 어디 있겠니?
다큐멘터리 무규칙 나라
새프로 편성인데….
덜컹
있긴 있을까?
그렇다고 모든 사람이 다 법을 잘 지켜 평화로운 사회가 된 것도 아니지.
차 빼, 이놈아!
네가 빼!
야, 신호 지켜!
또 무엇이 문제냐고?
척!
궁금한 사람들은 책을 손에서 놓지 말고 8장으로 곧장 가자구.
갑자기 뛰네요..
또 뛰어야 해?

제8장
법과 군주의 권위
- 세勢
법이 아무리 국가의 근본이요 행동의 지침이라고 하더라도,
모두 숙지하도록!
法 메뉴얼
백성들이나 신하들이 그것을 지키지 않고 무시해 버린다면?
귀찮게…
法
툭…
또 군주가 명령을 내렸을 때 아랫사람들이 들은 척도 안 한다면?
쉬엄쉬엄 해요….
니들….
예를 들어 쓰레기를 함부로 버린 사람은 벌금 10만원이라는 법이 있어도,
쓰레기 무단투기 벌금 10만원
피식
척
무시하며 쓰레기 버리고도 벌금을 안 내 버리면?
벌금 고지서가 또 나왔어요.
과태료 100000
한마디로 법과 군주의 명령도 권위가 없는 거지.
버려!

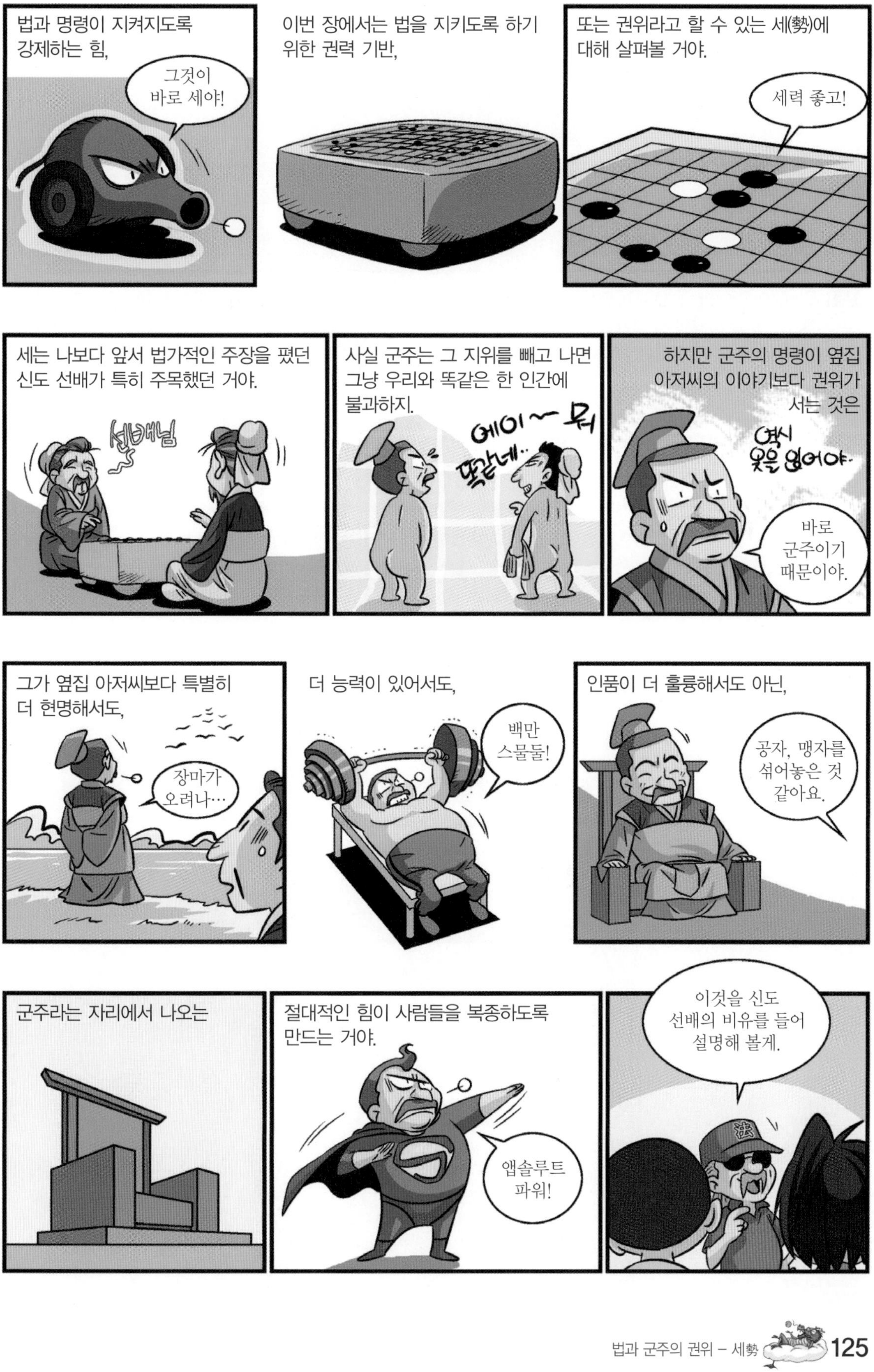
법과 명령이 지켜지도록
강제하는 힘,
그것이
바로 세야!
이번 장에서는 법을 지키도록 하기
위한 권력 기반,
또는 권위라고 할 수 있는 세(勢)에
대해 살펴볼 거야.
세력 좋고!
세는 나보다 앞서 법가적인 주장을 폈던
신도 선배가 특히 주목했던 거야.
선배님
사실 군주는 그 지위를 빼고 나면
그냥 우리와 똑같은 한 인간에
불과하지.
에이~ 뭐
똑같네..
하지만 군주의 명령이 옆집
아저씨의 이야기보다 권위가
서는 것은
역시
옷을 입어야.
바로
군주이기
때문이야.
그가 옆집 아저씨보다 특별히
더 현명해서도,
장마가
오려나…
더 능력이 있어서도,
백만
스물둘!
인품이 더 훌륭해서도 아닌,
공자, 맹자를
섞어놓은 것
같아요.
군주라는 자리에서 나오는
절대적인 힘이 사람들을 복종하도록
만드는 거야.
앱솔루트
파워!
이것을 신도
선배의 비유를 들어
설명해 볼게.

비룡(飛龍)은 구름을 타고 날아다니며, 하늘로 올라가는 뱀은 안개 속에서 노닌다. 그러나 구름이 물러가고 안개가 걷혀 날이 맑아지면 용이나 뱀도 하찮은 지렁이나 개미와 다를 바가 없어진다. 왜냐하면 그들이 타고 다니며 노닐어야 할 구름과 안개라는 무기를 잃었기 때문이다. 현명한 사람이 어리석은 자에게 굴복하는 경우도 역시 이와 같아서 현명한 자의 권세가 별볼일 없고 그의 지위가 낮기 때문이며, 어리석은 이가 현자를 굴복시킬 수 있는 것은 그의 권세가 막강하고 지위가 높기 때문이다.(난세)

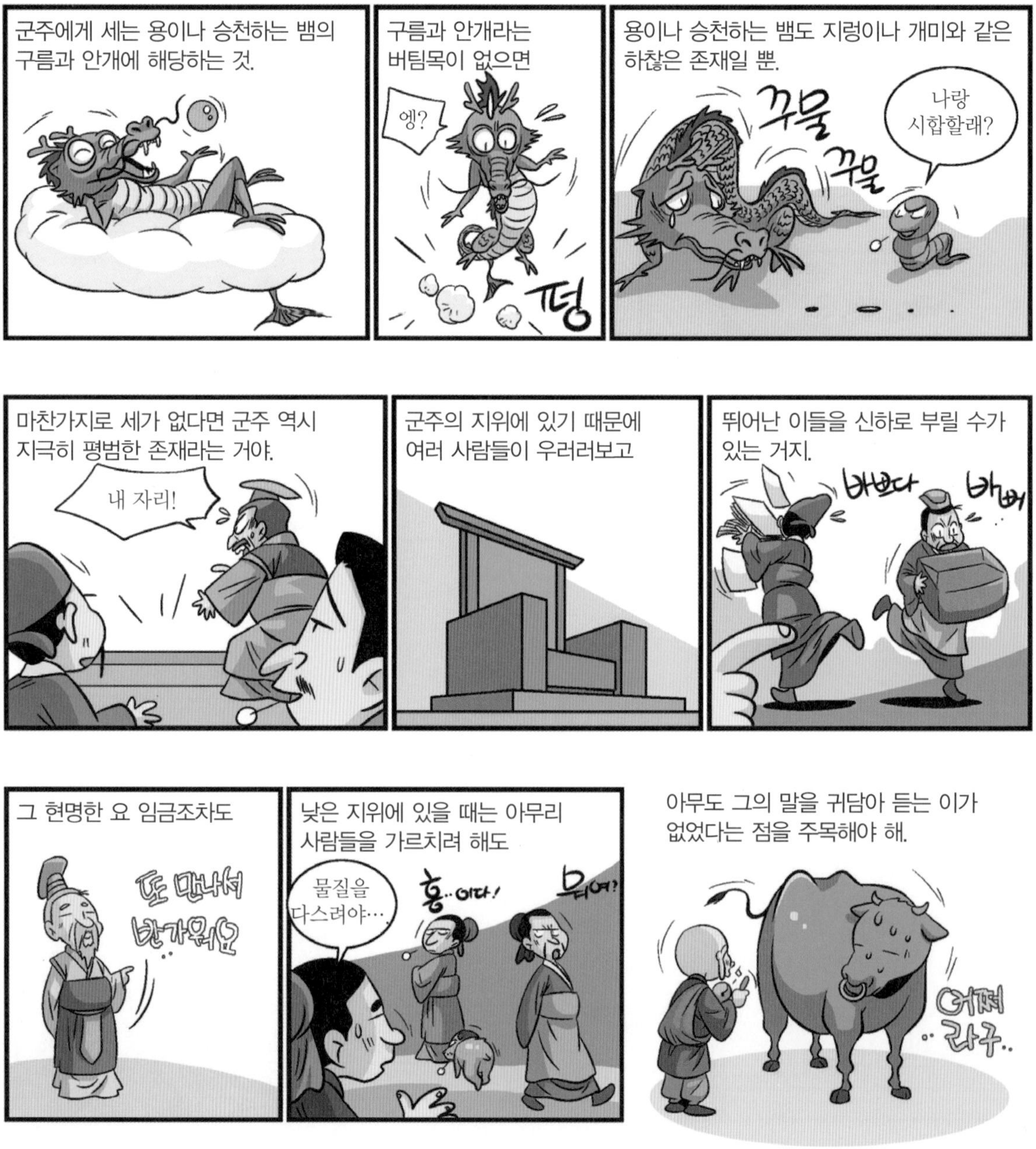

군주에게 세는 용이나 승천하는 뱀의 구름과 안개에 해당하는 것.
구름과 안개라는 버팀목이 없으면
엥?
떵
용이나 승천하는 뱀도 지렁이나 개미와 같은 하찮은 존재일 뿐.
꾸물
꾸물
나랑 시합할래?
마찬가지로 세가 없다면 군주 역시 지극히 평범한 존재라는 거야.
내 자리!
군주의 지위에 있기 때문에 여러 사람들이 우러러보고
뛰어난 이들을 신하로 부릴 수가 있는 거지.
바쁘다
바빠
그 현명한 요 임금조차도
또 만나서 반가워요
낮은 지위에 있을 때는 아무리 사람들을 가르치려 해도
물질을 다스려야…
흥.. 어디!
뭐여?
아무도 그의 말을 귀담아 듣는 이가 없었다는 점을 주목해야 해.
어쩌라구..

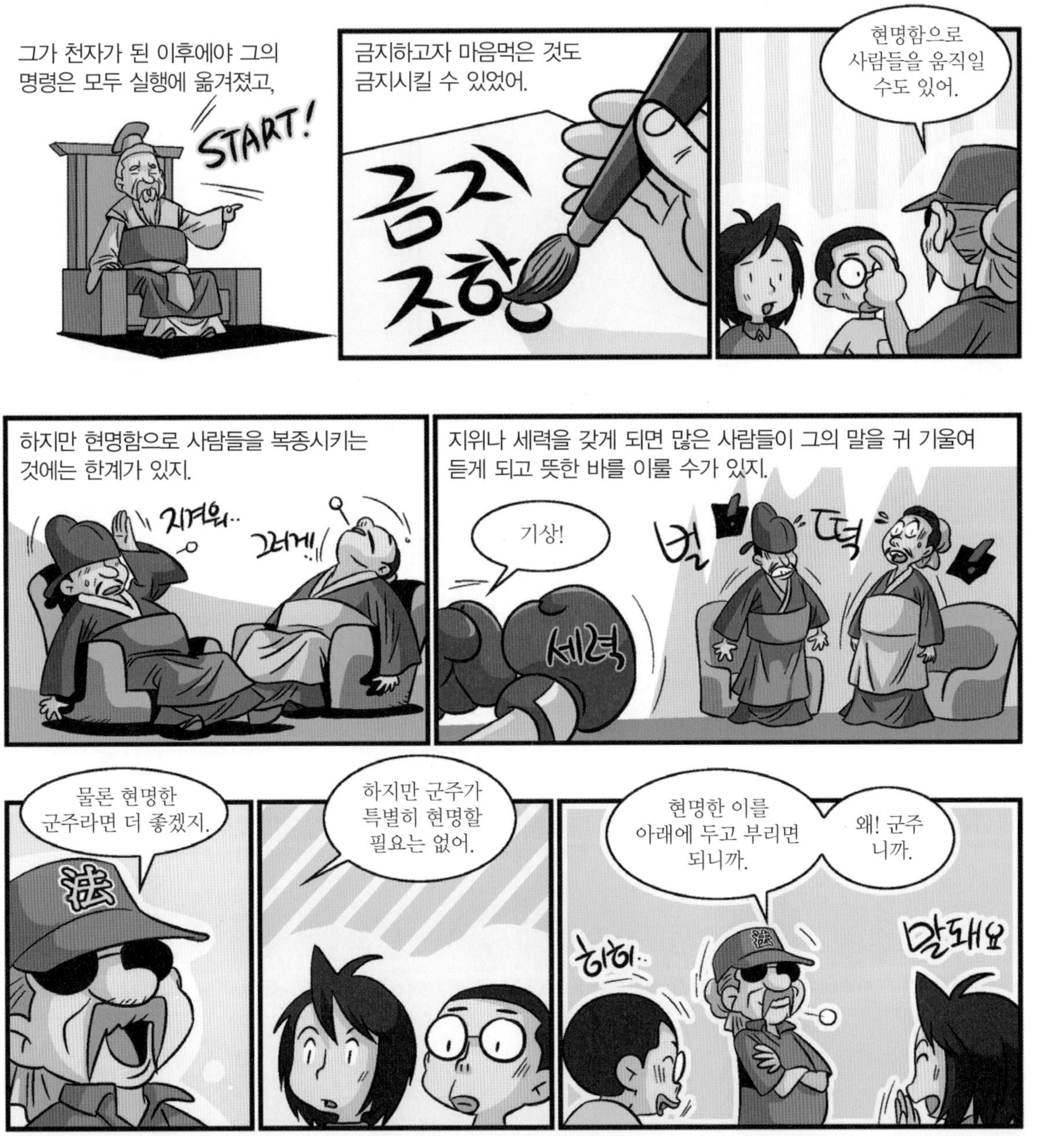
그가 천자가 된 이후에야 그의 명령은 모두 실행에 옮겨졌고,
START!
금지하고자 마음먹은 것도 금지시킬 수 있었어.
금지 조항
현명함으로 사람들을 움직일 수도 있어.
하지만 현명함으로 사람들을 복종시키는 것에는 한계가 있지.
지겨워..
그러게..
지위나 세력을 갖게 되면 많은 사람들이 그의 말을 귀 기울여 듣게 되고 뜻한 바를 이룰 수가 있지.
기상!
세력
벌떡
물론 현명한 군주라면 더 좋겠지.
法
하지만 군주가 특별히 현명할 필요는 없어.
현명한 이를 아래에 두고 부리면 되니까.
왜! 군주니까.
헤헤..
말돼요

키가 작은 한 그루의 나무라도 높은 산 위에 세워두면,
천 길이나 되는 계곡을 아래로 내려다보고 있는 듯이 보이는 것은,
그 나무가 키가 커서 그런 것이 아니라 서 있는 위치가 높기 때문이다.
천 근이나 나가는 아주 무거운 물건도 배에 실으면 물 위에 뜨지만,
바늘 같이 아주 가벼운 물건이라도 배에 싣지 않고 그냥 물에 넣으면 가라앉고 만다.
이것은 그 무게의 무거움과 가벼움 때문이 아니라 의지하는 것이 있느냐 없느냐가 문제인 것이다.
그러므로 키가 작은 나무가 높은 곳에서 아래를 굽어보는 것은 그 위치가 높기 때문이고,
어리석은 자가 현명한 인재를 부리는 것은 그가 가진 세 때문이다.(공명)

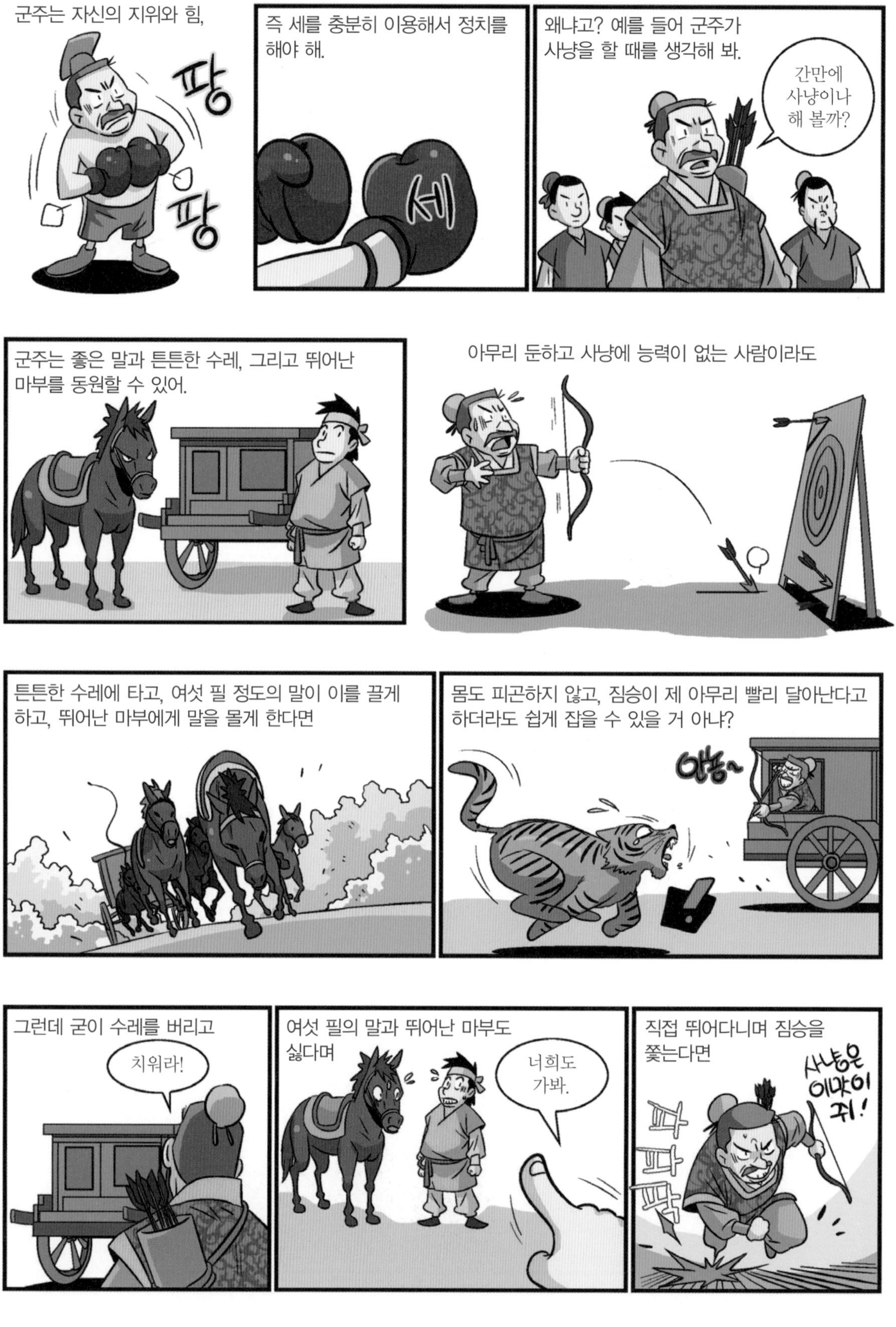
군주는 자신의 지위와 힘,
팡
팡
즉 세를 충분히 이용해서 정치를 해야 해.
세
왜냐고? 예를 들어 군주가 사냥을 할 때를 생각해 봐.
간만에 사냥이나 해 볼까?
군주는 좋은 말과 튼튼한 수레, 그리고 뛰어난 마부를 동원할 수 있어.
아무리 둔하고 사냥에 능력이 없는 사람이라도
튼튼한 수레에 타고, 여섯 필 정도의 말이 이를 끌게 하고, 뛰어난 마부에게 말을 몰게 한다면
몸도 피곤하지 않고, 짐승이 제 아무리 빨리 달아난다고 하더라도 쉽게 잡을 수 있을 거 아냐?
안뇽~
그런데 굳이 수레를 버리고
치워라!
여섯 필의 말과 뛰어난 마부도 싫다며
너희도 가봐.
직접 뛰어다니며 짐승을 쫓는다면
사냥은 이맛이쥐!
파다닥

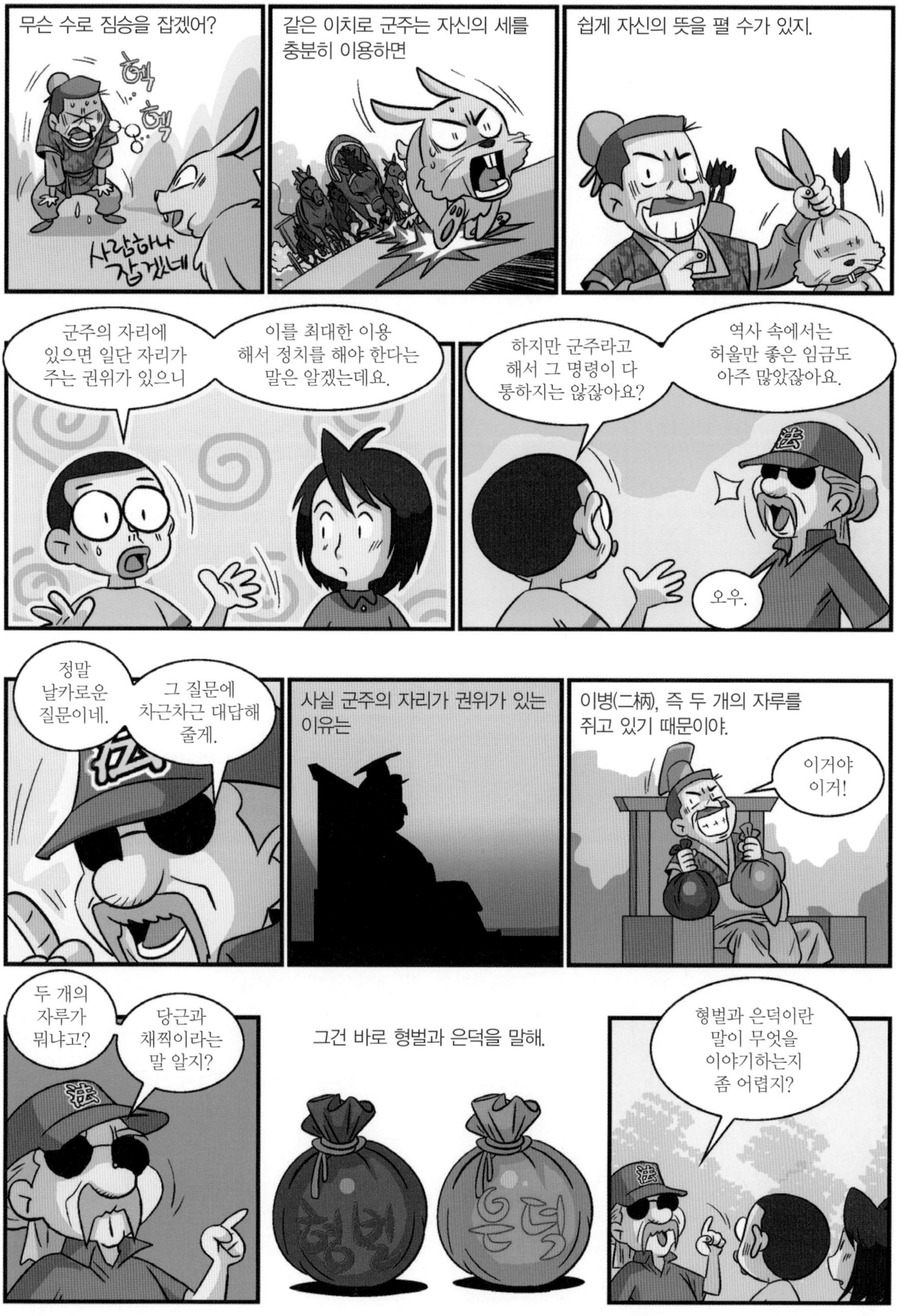

무슨 수로 짐승을 잡겠어?
헥
헥
사람하나 잡겠네
같은 이치로 군주는 자신의 세를 충분히 이용하면
쉽게 자신의 뜻을 펼 수가 있지.
군주의 자리에 있으면 일단 자리가 주는 권위가 있으니
이를 최대한 이용해서 정치를 해야 한다는 말은 알겠는데요.
하지만 군주라고 해서 그 명령이 다 통하지는 않잖아요?
역사 속에서는 허울만 좋은 임금도 아주 많았잖아요.
오우.
정말 날카로운 질문이네.
그 질문에 차근차근 대답해 줄게.
사실 군주의 자리가 권위가 있는 이유는
이병(二柄), 즉 두 개의 자루를 쥐고 있기 때문이야.
이거야 이거!
두 개의 자루가 뭐냐고?
당근과 채찍이라는 말 알지?
그건 바로 형벌과 은덕을 말해.
형벌
은덕
형벌과 은덕이란 말이 무엇을 이야기하는지 좀 어렵지?

좀 무시무시하지만 처벌해
죽이는 것을 형벌이라 하고
칭찬해 상을 내리는 것을
은덕이라고 하지.
포상금
신하들, 아니 모든 인간들은
형벌을 두려워하고
상을 받는 것을 즐거워 하게
마련이야.
어이쿠~
감사합니다
허리
잘챙해라
그러니 군주가 이 두 개의 자루를
적절하게 잘 사용한다면
형벌
은덕
신하를 통제하여 자신의 직무를
완수하도록 만들 수
있겠지?
선택해 봐!
포상
그런데 문제는 이 두 개의 자루를 군주 자신이 직접 쓰지
않고 누군가가 대신하게 되었을 때야.
골 아프다.
네가 해봐!
리얼리?
그럴 때 모든 권력은 두 개의 자루를 쥔 인물에게
넘어가고
음화하하하
고개 드는 놈
누구냐!
군주는 허울 좋은 허수아비가
되는 거지.
바보
바보
바보
그래서 난
군주들에게 늘
간곡히 일렀어.
法
형벌과 상을 주는 일을 남에게 맡기지 않고 반드시
자신이 직접 하라고.
왜
불렀어요?
암것도
아니다.

그렇게 하지 않으면 반드시 신하에게 제어 당할 날이 올 거라고.
퍽.. 퍽
바보 팅아!
군주가 강력한 권세를 행사하는 것은
불끈
신하라는 물고기를 못 속에 기르는 것과 같아.
만약 물고기가 못 밖으로 나가면 다시 돌이킬 수가 없듯이,
파닥 파닥
군주가 신하에 대해 그 권력을 상실하면 회복하기가 아주 어렵지.
쓰레기!
에잉~
만약 어떤 신하가 군주의 권력을 빌려 대신 행사하게 되면
촤악
권력
그 신하의 세력이 확대되어,
조정 안팎의 신하들은 모두 그 신하의 손발이 되어 일하게 될 거야.
내가 수족들이 좀 많아!
시간이 지나면 군주의 눈과 귀는 어두워지지.
뭐? 안들려!
혹 군주가 사람들에게 그 신하를 지목하여 꼬투리를 잡아보려 해도
내 말 좀 들어봐!
걔가…
군주 주변에는 아무도 군주를 위해 바른 말을 해 줄 사람이 없게 될 거야.
뭐.. 어쩌라구요

왜?
군주 주변은 이미 그 신하의 수족들로 가득 차 있을 테니까.
아… 저…저거
이런 일이 있었어.
와~ 또 재밌는 이야기다
전영이란 사람이 제나라 재상으로 있을 때,
한 친구와 오랜 시간 동안 이야기를 나누었는데 사람들은 이것을 보고
재상이 그 친구를 신임한다고 생각하여 많은 뇌물을 보냈지.
날 주는겨?
그 사람은 당연히 큰 부자가 되었어.
또 전영이 부하 한 사람을 다정하게 대하는 것을 보고
사람들은 그가 총애를 받는다고 믿어, 다투어 아첨을 해서
결국 그 부하는 강한 세력을 얻게 되었지.
오랫동안 이야기를 나눈다든가,
다정하게 대하는 것은 아주 사소한 일인데도
..그래 허허

그것이 밑천이 되어 부자도 되고 세력도 얻게 된 거야.
그러니 신하가 군주의 위세를 빌려 이용한다면 어떻게 될까 안 봐도 뻔한 일이지.
사주관상 50%
누가 내 밥줄을!!
군주를 군주이게 만드는 것,
즉, 군주의 세란 상벌의 권한을
꽉 쥐고 직접 행사하는 것에서 나오는 법이지.
알쥐 그럼~!
상
벌
하지만 한비 선생님,
누구에게 상을 주는 일은 군주가 직접 하는 게 좋겠지만
누구를 죽이는 것 같은 잔인한 악역을 꼭 군주가 직접 맡아야 하나요?
진짜…
당연하지.
악역도 당연히 군주의 몫이어야 해.
내가 바로 멀티 플레이어지!
만약 형벌을 주는 일을 다른 누군가가 대신하게 되면
위임
이놈은 곤장 300대….
휙
형량
사람들이 그의 명령에 벌벌 떨게 될 거야.
우하하。。
재밌다!

군주로서는 중요한 무기 하나를 잃어 버리고 파멸의 길을 걷게 될 거야.
실제 그런 일이 있었어.
송나라의 대부 자한이라는 사람이 군주에게 말하기를
전하~!
사람들에게 상을 주고 높은 지위를 주는 것은 아랫사람들이 모두 좋아하고 환영받는 것이니 군주께서 손수 행하십시오.
사람을 죽이고 엄하게 벌을 내리는 일은 백성들이 모두 싫어하는 일이니 신이 행하겠나이다.
그래서 송나라 군주는 형벌을 내리는 일을 자한에게 하게 했지.
잘라!
나라 안의 모든 사람들은 자한을 두려워 하게 되었고
자한만 보면 오한이 들어!
덜덜
감히 그의 명령을 거역할 수 없었지.
아…
맵다..
크흑~
까라면 까야지….
마늘
결말이 어떻게 되었게?
송나라 군주는 결국 점점 세력이 커진 자한의 위협으로
이봐, 자한이. 어둡다네….
정권을 자한의 손에 고스란히 넘겨 줄 수밖에 없었지.
딱, 놓으셔!
정권
반대의 경우도 물론 있었어.
군주가 직접 형벌만 행사하고 상주는 권한을 신하에게 넘겼던 예가….

결말 역시 뻔하지. 군주는 인심을 잃어 역시 신하의 손에 죽임을 당하게 되었어.
또각
상과 형벌의 권한 중 하나만 넘겨주어도
옛다!
형벌
퉁!
죽임을 당하거나 정권을 빼앗겼는데,
쿵!
100t
찍..!

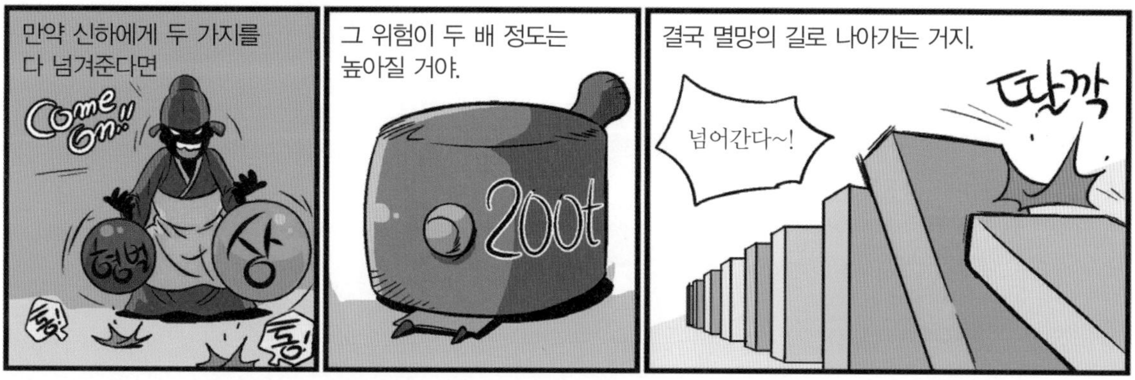
만약 신하에게 두 가지를 다 넘겨준다면
Come On!!
형벌
상
퉁!
퉁!
그 위험이 두 배 정도는 높아질 거야.
200t
결국 멸망의 길로 나아가는 거지.
넘어간다~!
또각

호랑이가 개를 가볍게 제압할 수 있는 이유는 호랑이에게 날카로운 발톱과 이빨이 있기 때문이다. 호랑이가 발톱과 이빨을 버리고 개가 그것을 사용하도록 한다면 오히려 호랑이가 개에게 굴복하게 될 것이다. 군주도 이와 마찬가지로 형벌과 은덕을 가지고 신하를 부려야 하는 것이다. 그런데 지금 군주가 형벌과 은덕을 버리고 신하가 그것을 사용하도록 내버려 둔다면 군주는 도리어 신하에게 부림을 당하게 될 것이다.(이병)

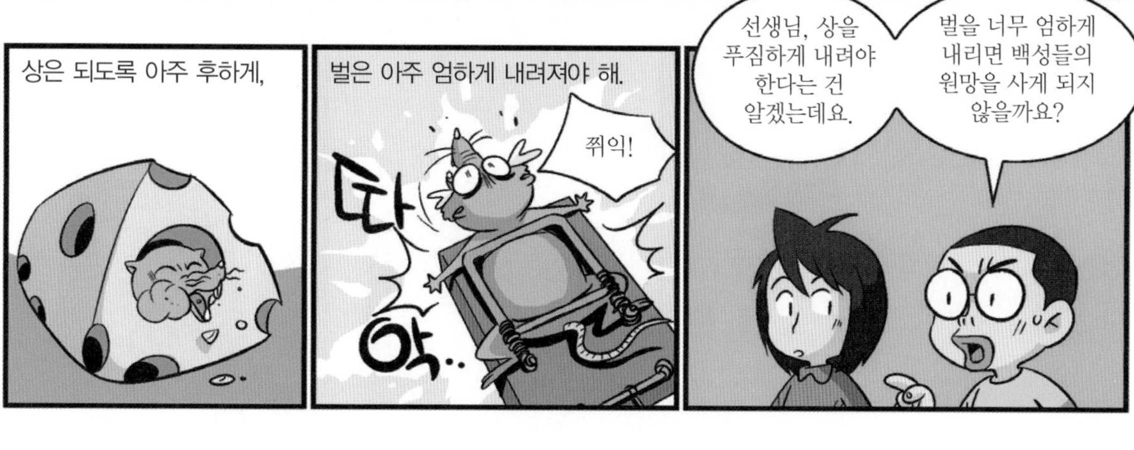
상은 되도록 아주 후하게,
벌은 아주 엄하게 내려져야 해.
쮜익!
따악..
선생님, 상을 푸짐하게 내려야 한다는 건 알겠는데요.
벌을 너무 엄하게 내리면 백성들의 원망을 사게 되지 않을까요?

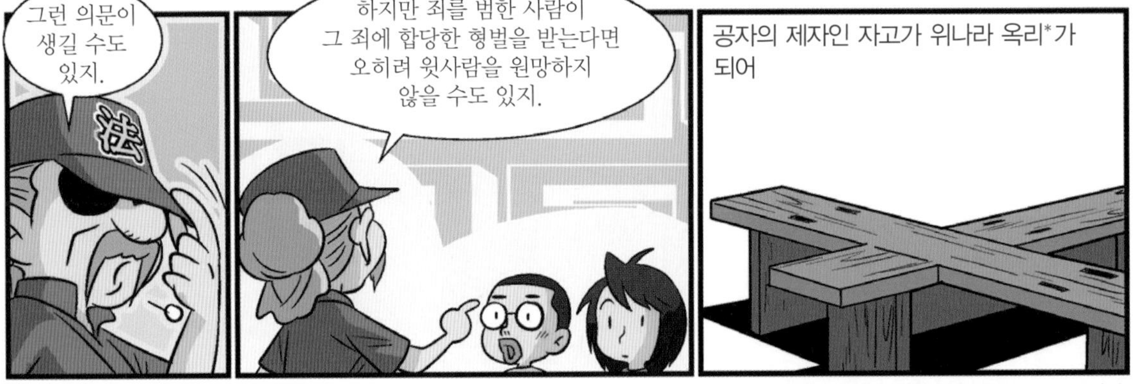
그런 의문이 생길 수도 있지.
하지만 죄를 범한 사람이 그 죄에 합당한 형벌을 받는다면 오히려 윗사람을 원망하지 않을 수도 있지.
공자의 제자인 자고가 위나라 옥리*가 되어

*옥리 – 형벌에 관한 일을 맡아보던 벼슬 아치.

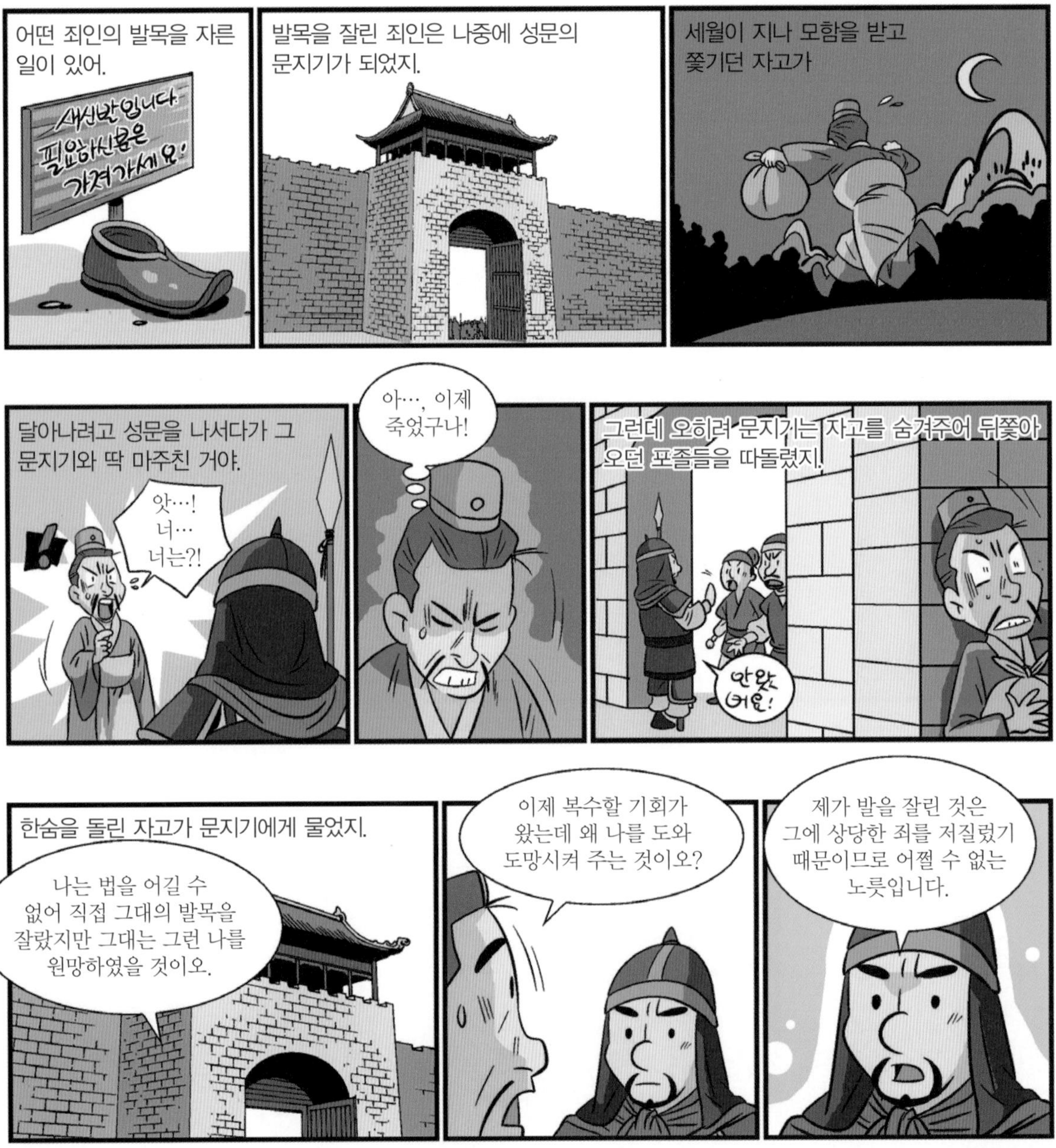
어떤 죄인의 발목을 자른 일이 있어.
새신발입니다 필요하신분은 가져가세요!
발목을 잘린 죄인은 나중에 성문의 문지기가 되었지.
세월이 지나 모함을 받고 쫓기던 자고가
달아나려고 성문을 나서다가 그 문지기와 딱 마주친 거야.
앗…! 너… 너는?!
아…, 이제 죽었구나!
그런데 오히려 문지기는 자고를 숨겨주어 뒤쫓아 오던 포졸들을 따돌렸지.
안 왔어요!
한숨을 돌린 자고가 문지기에게 물었지.
나는 법을 어길 수 없어 직접 그대의 발목을 잘랐지만 그대는 그런 나를 원망하였을 것이오.
이제 복수할 기회가 왔는데 왜 나를 도와 도망시켜 주는 것이오?
제가 발을 잘린 것은 그에 상당한 죄를 저질렀기 때문이므로 어쩔 수 없는 노릇입니다.

그러나 당신은 나를 처단할 때, 여러 차례 법령을 살피고 저를 변호하여 면하게 하려고 애썼다는 것을 잘 알고 있습니다.
판결이 나고 형벌이 확정되자 당신은 슬퍼하며 안타까워 했습니다.
아…
이것은 저에 대한 사사로운 인정 때문이 아니라 당신이 천성이 인자하기 때문입니다.
이것이 제가 당신을 도와준 이유입니다.
반역죄나 살인죄 같은 무거운 죄를 아주 엄하게 처벌하는 것은 당연하게 생각하지만
도리 도리
살인
목 빼!
가벼운 죄는 쉽게 용서해 버리는 경향이 있지.
훈방!
쌩유
그건 절대로 안 될 일이야.
훈방
독방
오 마이 갓!
속담에도 '산에서는 넘어지지 않으나 개미 무덤에 넘어진다.' 고 했어.
타악
산은 크니까 사람들이 조심하지만
개미 무덤은 작기 때문에 사람들이 얕잡아 본다는 이야기지.
나 잡아봐라!
깔깔
가벼운 죄는 범하여도 처벌을 받지 않는다면 백성들은 죄를 짓는 것을 쉽게 생각하게 될 것이고,
누워서 떡먹기!

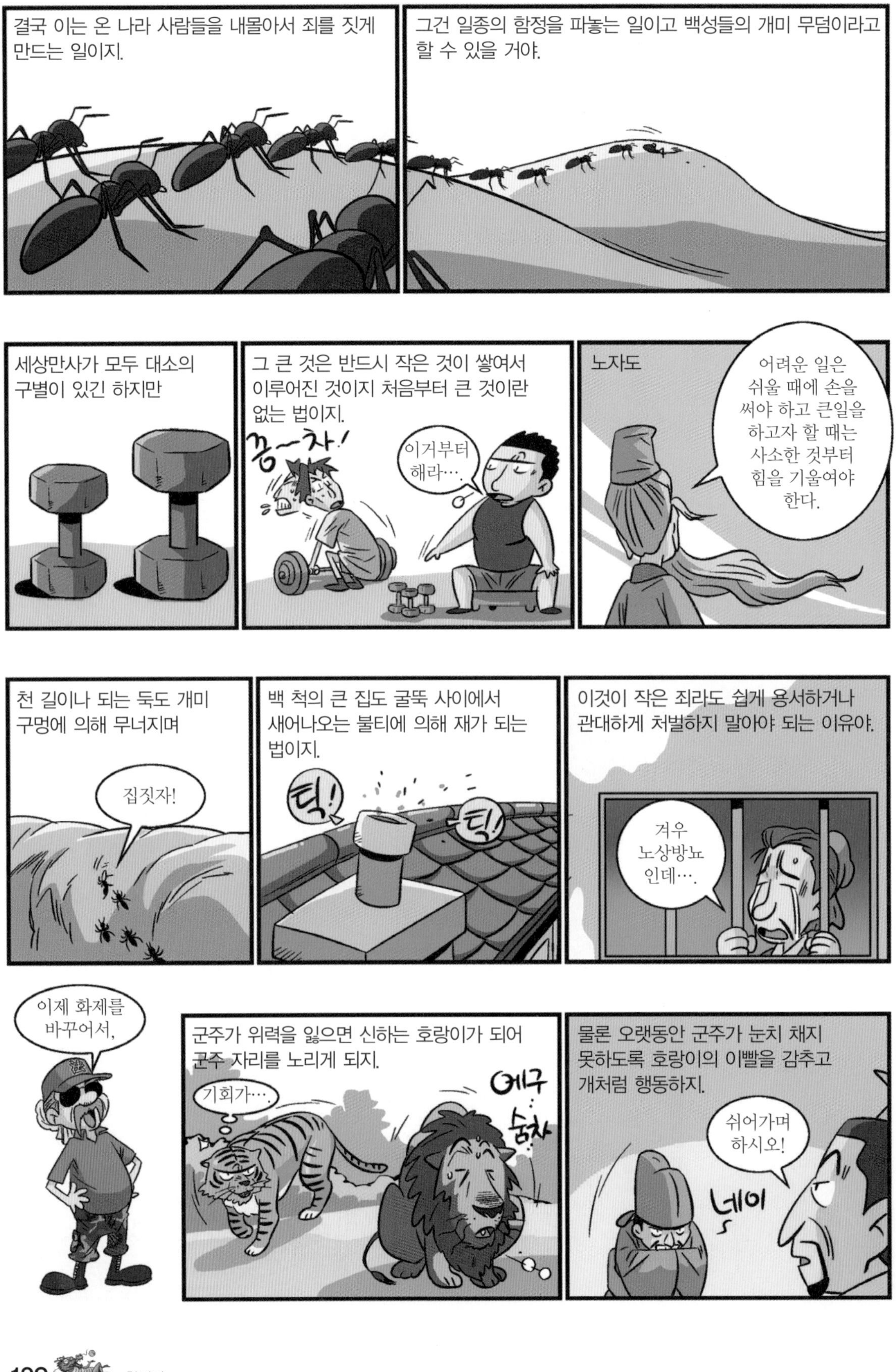
결국 이는 온 나라 사람들을 내몰아서 죄를 짓게 만드는 일이지.
그건 일종의 함정을 파놓는 일이고 백성들의 개미 무덤이라고 할 수 있을 거야.
세상만사가 모두 대소의 구별이 있긴 하지만
그 큰 것은 반드시 작은 것이 쌓여서 이루어진 것이지 처음부터 큰 것이란 없는 법이지.
끙~차!
이거부터 해라….
노자도
어려운 일은 쉬울 때에 손을 써야 하고 큰일을 하고자 할 때는 사소한 것부터 힘을 기울여야 한다.
천 길이나 되는 둑도 개미 구멍에 의해 무너지며
집짓자!
백 척의 큰 집도 굴뚝 사이에서 새어나오는 불티에 의해 재가 되는 법이지.
틱!
틱!
이것이 작은 죄라도 쉽게 용서하거나 관대하게 처벌하지 말아야 되는 이유야.
겨우 노상방뇨 인데….
이제 화제를 바꾸어서,
군주가 위력을 잃으면 신하는 호랑이가 되어 군주 자리를 노리게 되지.
기회가….
에구 숨차
물론 오랫동안 군주가 눈치 채지 못하도록 호랑이의 이빨을 감추고 개처럼 행동하지.
쉬어가며 하시오!
네이

신하는 은밀히
세력을 기르고
군주를 몰래 시험해서 그 위력이 어느 정도인지 살피지.
쩍
군주가 법을 바르게 세우고
이를 엄수하며
야!
상과 벌의 권한을 장악하고 있으면
신하를 누를 수가 있지만,
건들지
말랬지!
혹 방심하다가는 결국 호랑이의 본 모습을 드러내 군주를 물어
죽이는 법이야.
오랫동안
참았다!
오독 오도독
신하에게 상으로 많은 재물과 땅을 주어
부유하게 만드는 것도,
강남
노른자위라….
공이 있는 신하의 지위를 올려주는
것도 물론 필요한 일이지.
너 재상해!
감사 함돠!
지난번에도
얘기했지만 상은
후한 것이
좋으니까.
法
하지만 나뭇가지가
지나치게 무성하면
가끔씩 가지치기를 해서
가지를 잘라내 줘야 하는
것처럼
군주는 이따금 신하의 세력을 쳐서 더 크지
못하도록 약화시켜야 해.
발톱 깎아라!
~거슬려!
넹!

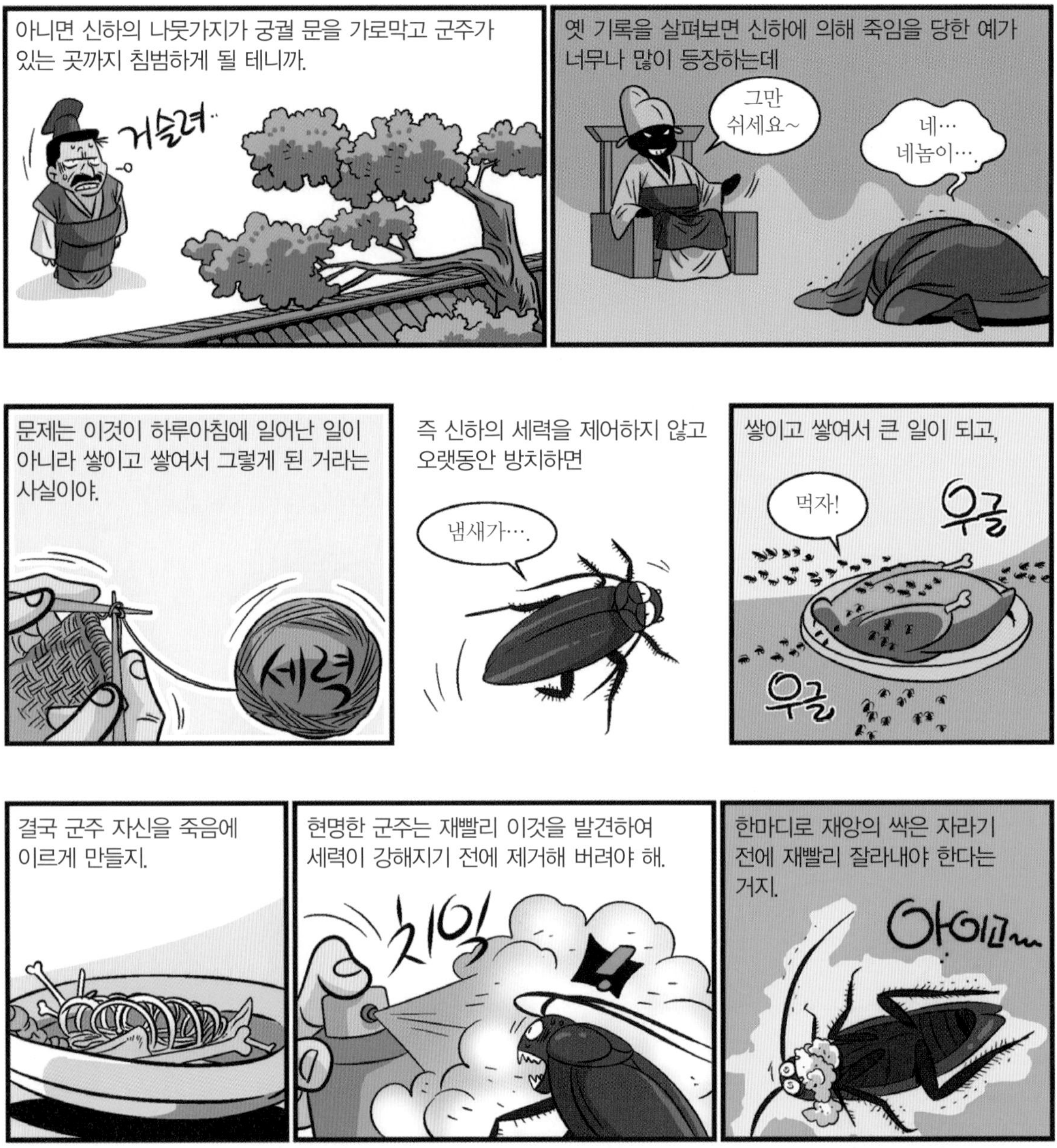
아니면 신하의 나뭇가지가 궁궐 문을 가로막고 군주가 있는 곳까지 침범하게 될 테니까.
거슬려..
옛 기록을 살펴보면 신하에 의해 죽임을 당한 예가 너무나 많이 등장하는데
그만 쉬세요~
네… 네놈이….
문제는 이것이 하루아침에 일어난 일이 아니라 쌓이고 쌓여서 그렇게 된 거라는 사실이야.
세력
즉 신하의 세력을 제어하지 않고 오랫동안 방치하면
냄새가….
쌓이고 쌓여서 큰 일이 되고,
먹자!
우글
우글
결국 군주 자신을 죽음에 이르게 만들지.
현명한 군주는 재빨리 이것을 발견하여 세력이 강해지기 전에 제거해 버려야 해.
치익
한마디로 재앙의 싹은 자라기 전에 재빨리 잘라내야 한다는 거지.
아이고~
군주가 베풀어야 할 은혜를
누굴 상 주나….
피곤해!
전하….
신하가 대신 나서서 베푸는 경우를 특히 조심해야 해.
제가 할 테니 좀 쉬시지요.
신하가 임금보다 더 백성들에게 신망을 받는다면
참으로 어지셔요

그 자체가 군주에게는 재앙의 싹이니까.
왕보다 낫다!
수군… 수군…
혹 그가 나쁜 마음이라도 품어 군주 자리를 노리면
그만 비켜라!
네놈이 반란을?!
백성들도 오히려 그를 지지할 테니까.
반란이라니! 혁명이지!
공자도 자신이 다스리는 백성들에게 자신의 의무를 넘어서는 은혜를 베푼 제자 자로를 나무라며 말했어.
네가 그런 일을 한 것은 백성들을 사랑하기 때문이긴 하지만
사랑하는 데도 법도가 있는 법이다.
천자는 천하를 사랑하고 제후는 자기 영토를 사랑하며, 대부는 관직을 사랑하고, 선비는 그 집을 사랑하는 법이다.
그러니 그 사랑하는 범위를 초월하여 사랑하는 것은 군주를 침범하는 것과 다를 바 없다.
세에 관한 내 이야기는 《한비자》의 다음 구절로 다시 한 번 정리하고
이제 군주의 통치 기술, 통치 방법에 대한 이야기로 넘어가자.
法

군주의 권위가 바로 서고 그 가르침이 엄하면 법과 군주의 명령을 어기지 않게 되며,
나무람과 칭찬이 한결 같으면 아무도 이것에 대해 비판하지 않는다.
현명한 자에게 상을 주고 난폭한 행동을 한 자를 벌하는 것은 선을 드러내는 가장 좋은 방법이며,
난폭한 자에게 상을 주고 현명한 사람을 벌하는 것은 악을 드러내는 최악의 방법이다.
상은 후하게 내리는 것이 좋으니 그래야 백성들이 그것을 큰 이득이라 생각하게 되고,
칭찬은 크게 하는 것이 좋으니 그래야 백성들이 그것을 광영이라 여기게 된다.
처벌은 엄중하게 해야 백성들은 그것을 두려워하게 되며,
나무람은 호되게 해야 백성들이 그것을 부끄럽게 여기게 된다.
(팔경)

제9장 군주가 갖추어야 할 통치 기술 - 술術1

술(術)은 원래 방법, 수단, 술수, 기교, 계략 등을 나타내는 한자야.
術

여기서 내가 이야기하는 술은 통치 기술, 통치 방법 전체를 말하지.
術
기술
방법

특히 군주가 신하를 통제하는 기술에 중점을 두어 설명할게.
기술

사실, 여기서 난 군주가 신하를 통제하는 기술이라고 말했지만

이러한 통제술은 사실 국가를 경영하는 군주만이 아니라

기업이나 조직을 경영할 때도 큰 무리 없이 적용될 수 있는 기술, 또는 원칙들이 많아.
기업경영

내가 살았던 시대에서 수천 년이 지난 지금에서도 말이야.
잘 새겨서 살펴보면 너희들이 어떤 조직을 이끌어가야 할 위치에 있을 때 당장 적용할 것도 적지 않다니까.
조금 과장해서 표현하면 동서고금의 진리!
한 사람의 힘으로는 많은 사람을 당하지 못하며 한 사람의 지혜로는 모든 것을 파악하지 못한다. 또 한 사람을 쓰는 것은 온 나라를 쓰는 것만 못하다.(팔경)
나라를 다스릴 때 낮은 수준의 군주는 자신의 능력을 다 발휘하고, 중간 수준의 군주는 다른 사람의 힘을 다하게 만들며, 최고 수준의 군주는 다른 사람의 지혜를 다하게 만든다.(팔경)
현명한 군주는 온갖 국정을 자신이 직접 나서서 챙기는 것이 아니라,
지혜로운 신하들을 잘 부려서 처리한다는 이야기지.
사실 이 말은 회사를 경영하거나 조직을 움직이는 책임자에게도 적용되는 말이야.
CEO
가끔씩 하나에서 열까지 자신이 직접 챙겨야 직성이 풀리는 경영자들도 있지.
이렇게 …
저렇게 …
대부분 자신의 능력을 지나치게 과신하며 다른 사람의 능력을 믿지 못하는 이들이지.
도대체가 안심이 안 돼!
내가 다 해야지!
에잉

문제는 그 많은 일들을 다 처리할 수도 없거니와,
헉 헥
죽겠다.
업무
그런 일이 반복되면 아랫사람들이 스스로 알아서 처리해야 할 일도
회의 끝!
툭 툭
일일이 지휘를 해주길 바라고 위만 쳐다보고 있게 된다는 거야.
사장님께서 해 주시겠지.
기획실
뭐?
그럼 경영자는 결국 모든 일을 혼자서 하게 되고
휙
죽겠다구!
유능한 아랫사람들을 단순 작업에 투입되는 기계에 불과하도록 만드는 일이지.
삐리삐리 결재!
군주와 신하는 각자의 역할이 달라.
설탕
소금
이런 사례가 있어. 위나라 소왕이 직접 정사를 관장하고 싶어서
스윽
직접 나서서….
그 뜻을 재상인 맹상군에게 전했어.
해볼게!
맹상군이 말했지.
그러한 생각이시라면 먼저 관리들이 알아야 할 법전을 익히도록 하십시오.
척
법전
그래서 소왕은 법전을 읽기로 했는데 열 장 정도 읽고는 그만 지쳐 잠이 들고 말았지.
턱
책만 보면 졸려~
잠에서 깨어난 소왕은
과인은 끈기가 없어서 이 법전을 다 읽지 못하겠다.
군주가 정권을 장악하지 않고 신하가 해야 할 일을 직접 하고자 하니 졸리는 것은 당연한 일이 아니겠니?
드르렁.. 푸우..

그럼 군주가 발휘해야 할 통치술은 어떤 것일까?
한마디로 정리하면,
술(術)이라는 것은
신하가 가진 능력에 따라 담당할 관직을 합당하게 내리고,
명분에 따라서 그가 거둔 실적을 엄격하게 따져서 묻고,
죽이고 살리는 권한을 손에 쥐고
여러 신하들의 능력을 잘 살펴보는 것이다.
이것은 반드시 군주가 장악해야 하는 것이다.(정법)
먼저 능력에 따라 관리를 임용하고
4번 타자 해!
임용된 관리를 감독하는 기술이 중요해.
허리 돌아간다!
그 사람이 어떤 일에 가장 적합한지를 살펴 능력에 적당한 관직을 주어 일을 시켜야 하지.
다리가 긴~여요
1루수!
포수!
무릇 모든 사물은 나름대로 쓸모가 있게 마련인 것처럼
약이야 약..
사람 역시 저마다 타고난 재능을 발휘할 적당한 곳이 반드시 있다는 것이 내 생각이야.
우애앵
기차 화통을 삶아 먹었나?
그 재능에 적합한 것을 맡기면 모든 일이 술술 풀리지.
오~ 솔레미오.. 산타아..
참 잘 커줬어.
그러게요.
예를 들어서 닭에게 새벽을 알리게 하고 고양이에게 쥐를 잡게 하고,
꼭껴~!
먹고 싶당~
집을 지을 때는 경험이 풍부한 목수에게 맡기고, 활을 만들 때는 숙련된 궁사(활을 만드는 사람)에게 맡기듯이 말이야.
스케일 하고는..
어허~ 디테일!

저마다의 타고난 재능에 따라 일을 맡기고
이 친구 달변이네!
하하
그 힘을 충분히 발휘할 수 있게 해주면
영업부라.. 딱 내 적성이야.
신하된 자는 당연히 보람을 느껴 스스로 성실하게 책임을 다하려 하지.
you are very very funny..
ha ha
또 그 능력에 따라 상당한 권한을 부여하면 스스로 더 노력하여 성과를 올리려고 할 거야.
3개월 만에 부장 승진!
부장
이때 신하들의 권한을 분명히 해서 서로 다른 신하의 권한을 침범하지 않게 해야
실적이 말이죠.
여긴 영업부인데, 왜~
각각의 지위가 안정되어 책임을 다할 수 있게 되지.
제가 실수를
이렇게 하면 윗사람이 일일이 간섭하지 않더라도 일은 잘 돌아가게 되어 있어.
전년대비 영업실적 상승.
200% 초과입니다.
하지만 사실 진짜 그 사람의 능력을 알기 위해서는
일단 일을 시켜보아야 하겠지?
이런 비유를 들 수 있을 것 같아.
法
쇠의 누르고 푸른 겉모습만 보아서는
아무리 쇠를 오랫동안 다룬 장인도 칼이 좋고 나쁨을 알 수 없어.
이리 줘 보시오!
달인
즉 나무도 잘라보고 생선이나 고기도 베어보고 해야 칼이 무딘지 날카로운지 알 수 있지.
푹...
마찬가지로 그 사람의 능력을 잘 알기 위해선 일을 시켜보고 판단하라!
창피해
쌩~
숯행랑의 달인인세

먼저 관리에게 자신이 하고자 하는 일의 계획을 설명하게 하고,
OSMU
그 의견이 쓸 만하다 싶으면 실행하게 하는 거야.
해봐. 단,
그런데 미리 다짐해두어야 해.
결과가 다를 시 어떠한 변명도 소용이 없고,
반드시 책임을 묻겠네!
네?
네에
그리고 일이 실행되고 난 다음 반드시 그 실적을 따져보아야겠지.
계획과 실적의 대조!
계획
결과
그리고 그 결과 자신의 말대로 성과를 내면 지위를 올려주든가 상을 주고,
한정식 풀코스
다른 결과를 내면 벌을 주어야 해.
까나리 액젓 500cc
자신이 스스로 말한 것은 반드시 실천하게 하고 또한 결과에 대하여 책임을 지우는 거지.
계획과 성과를 대조하여 평가하게 하는 것은 단순한 친목 모임이 아닌 이상
예산이 오버여…
걍 대충혀~
우리가 남이여?
사람들로 이루어진 대부분의 조직에서 실행하고 있는 거야.
평가 하였습니까 행님!
회사나 관공서들,
너희들이 다니는 학교에서도 선생님들이 학년 초에 1년의 계획서를 제출하고
계획을 잘 짜서….
학년 말에 그 계획서에 비추어 달성한 실적을 평가한단다.
훌륭하군!

개인도 마찬가지야.
꼼꼼하게 계획, 실천!
결과를 계획과 대조해 보는 것.
앗싸~ 85kg!
그리고 새로운 계획에 그 결과를 반영해보기.
움하하…
90kg
60kg
할 수 있어!
우우
너희들도 한번 써 먹어 봐.
방학 계획이나 시험에 대비하여 공부 계획을 세우고
지킬 수 있을 만큼….
계획
나중에 자신이 실천한 결과를 비교해 보며 평가하다보면
히히… 3점 올랐네!
터무니없는 욕심을 내어 계획만 거창하게 세우고
작년 계획표….
12
잠
공부
실천은 참담한 결과를 가져오는 일이 줄어들 거야.
완전 망했었지!
^히히
이야기가 약간 빗나갔는데 이렇게 공이 있는 자에게는 반드시 상을 주고,
죄가 있는 사람에게는 반드시 벌을 주는 것을 신상필벌(信賞必罰)이라 해.
사실 오늘날의 사회에서도 일반적으로 통용되고 있잖아.
아주 중요한 원칙!
CEO
물론 때론 잘못한 사람들에게 보내는 따뜻한
격려와 위로가 더 좋은 결과를 가져오기도 하지만.
法
으쓱
한비 선생님, 질문 있어요!
척!
질문은 언제나 대환영이야!

신하가 미리 이야기한 것보다 거둔 실적이 못 미치면 벌을 준다는 건 이해가 가는데요,
계획보다 거둔 실적이 더 훌륭하면 어떻게 해야 하나요?
야, 그걸 말이라고 하냐?
잘해도 문제냐? 오히려 상을 줘야지.
그럴 때도 벌을 주면 어떻게 해.
침튄다..
아니지, 말한 것보다 실적이 훨씬 좋은 경우도 자기가 미리 이야기한 것과 다르니 처벌해야 하는 것 아냐?
자, 조용 조용!
웃기시네
이건 아주 중요한 문제인데,
내 생각은 그런 경우도 당연히 벌을 줘야 한다는 거야.
法
신상필벌
말 그대로 일을 실행하는 과정과 성과가 신하가 미리 한 이야기와 일치하면 상을 주고,
한정식 풀~코스!
일의 과정과 성과가 미리 한 말과 일치하지 않으면 벌해야 한다는 거야.
순도 100% 까나리 액젓!
좀 어려운 말로 이러한 것을 형명참동(刑名參同)이라고 해.
형명참동
형(刑)은 사실, 실적을, 명(名)은 신하가 제출한 계획, 의견을 말하지.
(실적 보고)
刑
해 봐!
名
즉 신하가 제출한 계획과 거둔 실적을 일치하도록 만든다는 거야.
名
刑
⇒
100%

자신이 미리 계획하여 보고한 것보다 실적이 별 볼일 없으면 당연히 벌을 받아야겠지?
그게 다니?
워낙에 가물에서…
수확 목표 100가마
쌀
하지만 그 사람이 벌을 받는 건 실적이 좋고 나쁜 것 때문이 아니라
그럼요?
결과와 계획이 일치하지 않기 때문에 벌을 받는 거야.
'형명참동' 이라니까!
반대의 경우, 즉 자신이 세운 계획보다 훨씬 더 나은 실적을 올렸을 때도 마찬가지로 처벌해야 해.
1000% 초과 달성!
쌀
수확목표 1가마
왜냐하면 그것은 일종의 시행착오니까.
아~ 왜~!
아무리 성과가 좋더라도 처음의 말과 일치하지 않는 것 역시 군주를 기만한 것이니까.
언행일치가 안 됐잖어!
수확목표
가마
만약 그런 사람을 벌하지 않고, 그 성과만을 가지고 상을 준다면 그 또한 다른 문제를 낳을 수 있다는 거야.
호오~ 1000% 이상 초과달성이냐?
잘했네
네이!
예를 들어 신하들은 군주에게 예상되는 결과를 정확하게 군주에게 말하지 않고 축소해서 이야기해 놓고 나중에 성과를 더 높여 상을 타는 수작을 부릴 수가 있으니까.
아유~ 원래 그곳은 농사질 땅이 아니라니 까요.
적게 써 내길 잘했지!
충분히 생각하여 계획하여 말하고,
최선을 다해 일을 해서 성과를 내라는 거야.
에이, 그럼 무서워서 어떻게 미리 말해요?
法
나라면 차라리 눈치 보며 얘기를 안 하고 말겠다!
훌륭한 지적이야. 그런 경우도 당연히 그냥 내버려둬서는 안 되겠지?
法

복지부동(伏地不動)이란 말이 있어.
땅에 엎드려 움직이지 아니한다.
조직에 속한 사람이 주어진 일이나 업무를 처리하는 데 몸을 몹시 사리는 것을 비유적으로 이르는 말이지.
눈치껏….
너무 나대지 말고.
구조조정 때라서….
흔히 요즘은 거기에 더해 낙지부동이란 말도 있단다.
움직이면…죽는다!
복지부동을 넘어 낙지처럼 땅에 찰싹 붙어 움직이지 않는 것을 이야기한대.
가만 안 두겠어!
쩌이억
말해야 할 것을 말하지 않고 가만히 있는 것도 자신의 임무를 다하지 않는 자이므로
총무부에 비리가!
기밀
그런 신하에 대해서도 반드시 책임을 지워야 하지.
자신이 한 말에 대한 책임을 지는 것이 두려워 잠자코 말하지 않는 것은,
내소관도 아니고
기밀
그 신하가 나라를 위해서가 아니라 자기 지위만 지킬 생각을 하는 거니까 당연히 죄가 크다고 할 수 있지.
내부고발자로 찍혀봐야
좋은 것도 없고….
참자…
참어
그러니 이에 대해서도 책임을 지우고 적절한 불이익을 주는 것이 꼭 필요해.
한번만..
이건 안 무섭냐?
권고 사직
물론 말을 하지 않고 침묵을 지키는 것이
참으로 과묵 하시네
….
나라를 위한 것인지 아니면 직무 태만인지는 잘 판단해 봐야겠지만
말좀 해보시오! 생각이 있소?
침묵은 금…

군주는 반드시 처음 신하가 발언한 것을 기억해두고, 실제 결과를 추궁하며, 발언하지 않는 사람도 찬성이냐 반대냐를 물어서 책임 추궁을 한다면 신하는 책임지지도 못할 말을 함부로 하지 못하게 될 것이며, 또한 침묵을 지켜 그 지위에 안주하려는 자 역시 없어질 것이다. 왜냐하면 말을 하든 않든 간에 모두 자신이 책임을 져야 할 것이기 때문이다.(남면)
자신의 직책에 걸맞게 좋은 계획을 내게 하고,
그 실적을 추궁하여 상과 벌을 엄격히 행한다면,
감봉이다!
능력이 모자란 자는 감히 그 직책을 맡지 않으려 할 것이고,
자연히 능력 있는 자들이 자신의 능력에 맞는 자리에 앉아 임무를 수행하게 될 거라는 게 내 주장이야.
잘한다!
업무
또한 반드시 명심해야 할 통치술이 하나 더 있어.
군주는 절대 자신의 마음을 겉으로 나타내선 안 된다는 것.
전하… 무슨 좋은 일이라도?
법은 나라 안의 아주 비천한 사람까지도 분명히 알게 만천하에 밝혀야 하지만,
달이 참 밝다!
술(術)은 가슴 속에 감추어두고 많은 사례들을 맞추어 보며 몰래 여러 신하들을 부리는 것이거든.
전하!
뭘 보세요?
암것도 아니다!
術
그래서 술은 군주 가장 가까이 있는 친숙한 이들도 알 수 없게 해야 해.
뭘까요….
글쎄요….

이렇게 하고 싶다거나 이런 것을 좋아한다거나 하는 마음도 들키지 말고,
~귀‥귀엽잖아‥
신하들이 내세우는 의견을 귀담아 듣되, 좋다 싫다는 말을 해서는 안 돼.
최고다, 최고! 와우!
만약 군주가 이러한 것을 밝히면 신하들은 마음에 있는 그대로 말하지 않고,
군주의 마음에 들도록 일을 꾸미게 되고,
족보 있는 수입견입니다.
꼭 필요하고 합당한 주장보다는 군주의 의사를 거스르지 않는 것만을 찾게 되지.
가격이 좀 비싸옵니다.
나아가 신하가 군주의 속마음을 이용해서 자신의 이익을 꾀하는 사태를 막을 수가 없게 되지.
hey, Come on baby! Come..
군주가 섣불리 자신의 의견을 이야기 했다가 오히려 일을 그르친 일화가 있어.
군주가 신하의 의견을 듣는 방법은 술에 크게 취한 모습과 비슷하다고 할 수 있다. 신하가 입을 열어 말문을 트도록 군주가 먼저 시작하지 말고 무지한 듯 흐릿한 모습으로 듣고 있어야 한다. 그리하면 신하들은 그들 스스로 그들의 의견을 분석하게 되고 군주는 이를 통해 신하들의 의견을 상세하고 철저하게 파악할 수 있게 된다.(양권)
감무라는 사람이 진 혜왕의 재상이었을 때,
혜왕은 공손연을 총애하여 틈나는 대로 그를 불러 여러 가지 이야기를 나누었어.
허허…
어느 날 왕은 공손연에게 말했지.
후일, 나는 그대를 재상으로 삼겠다.
맘에들어

그런데, 그 말을 재상인 감무의 심복이 엿들었지 뭐야.
허허…
저… 저런!
당연히 이 말은 감무의 귀에 들어갔겠지?
뭐라?!
감무가 입궐하여 왕에게 아뢰었어.
전하!
왕께서 현명한 재상을 새로 얻으셨다니,
신은 이를 감축 드리는 바입니다.
무슨 말이오? 이 나라의 재상은 그대이거늘,
어찌 새로 재상을 얻었다고 하시오?
아니옵니다. 신은 왕께서 공손연을 새 재상으로 삼으려 한다는 말을 들었습니다.
도대체 어디서 그 같은 이야기를 들었단 말이오?
공손연이 직접 신에게 알려 주었습니다.
공손연이 비밀을 누설한 것으로 오해하여 분노한 혜왕은 그를 추방하고 말았지.
Get out here!
뻥
결국 혜왕이 자기의 마음속을 섣불리 털어놓았기에
맘에 들어
이를 역으로 이용한 감무는 라이벌 공손연을 추방하고 자기 자리를 유지할 수 있었고,
강한 자가 살아 남는 거야!
혜왕은 자기 마음속에 미래의 재상으로 점찍어 놓았던 공손연을 추방해 버리는 실수를 저지른 거야.
뭐지? 이 찜찜함은
공손연만 불쌍할 뿐이지.
내가 뭘….
에효~

신중하지 못한 왕 때문에 좋았다가
억울하게 쫓겨났으니.
에효오
그래서 자기의 마음을 드러내지 말라는 이야기는 《한비자》 곳곳에
몇 번이고 강조하여 써 있어.
강조 표시!
※ 마음을 드러내지 말것
현명한 군주는 자신의 재능을 발휘하지 않고 신하들의 재능을 발휘하게 하지.
현명한 군주가 힘써야 할 일은 모든 사람에게 자신의 속마음을 털어놓지 말고 비밀을 유지하는 것이다. 군주가 좋아하는 기색을 드러내면 신하가 먼저 생색을 내어 군주의 덕을 베풀 일이 줄어들게 되고, 군주가 분노하는 기색을 드러내면 신하가 먼저 야단을 쳐서 군주의 위엄이 반으로 줄어들게 된다. 그래서 유능한 군주의 말은 칸막이와 보호막이 쳐 있는 것처럼 밖으로 새어 나가지 않으며 철저히 기밀을 유지해 밖으로 드러나지도 않는다.(팔경)
군주의 재능은 끝이 없어.
마르지 않는 샘
그래서 현명하지 않으면서도 현자의 위에 설 수 있고,
넓은 강이 되고….
유능하지 않으면서도 유능한 이들 위에 설 수가 있는 것이지.
더 넓은 바다가 된다!
쏴아아아
군주가 자신의 지혜를 버리고 나면 오히려 신하들의 실정을 관찰할 수 있는 밝은 눈을 얻게 되고,
잘 보인다!
현명함을 버리면 신하들이 저마다 힘써 노력하게 되므로 그 공을 얻게 되고,
요번 재상은 참 잘해~!
용기를 버리고 나면 신하들이 저마다 용기를 발휘하게 되므로 오히려 나라가 더욱 강대해지는 거야.

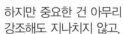

제10장
군주가 알아야 할 구체적인 통치 기술 - 술術 2
지난 장에서는 군주의 술(術) 일반을 살펴보았다면
術
이번 장에서는 좀 더 구체적인 통치술을 살펴보도록 하자.
사실 8장의 내용과 겹치는 부분도 있어.
신상필벌 등은 말야.
보자~
하지만 중요한 건 아무리 강조해도 지나치지 않고,
신상필벌 신상..
3일째 쉬지 않고.
무엇보다 실제의 사례와 함께 이야기하면 더 실감이 날 것 같아서 말이지.
이 중 몇 가지 방법은 권모술수에 해당하는 것으로

솔직히 말해
약간의 치사한
방법이기는 해.
하지만 내가 이 주장을 폈을 때가 전국 시대라는 혹독한 전쟁 시기였다는 것,
그리고 수많은 군주들이 신하들이나 믿었던 측근들에 의해 비명횡사했다는 것을 생각해보면
수고하셨어요!
스스로의 목숨을 지키고,
피도 눈물도 없는 전쟁에서 승리하기 위한 어쩔 수 없는 선택이라는 걸 이해해 주리라 믿어.
이제 그 일곱 가지를 하나하나 자세히 살펴보자.
참관
그 첫째는 참관이라고 하는 것으로
군주는 신하의 말을 들을 때 반드시 여러 신하의 말들을 서로 비교, 검토해 봐야 한다는 거야.
아무리 군주가 현명하더라도 신하들이 내세우는 의견을 듣고 단번에 내용을 다 파악하기는 쉽지 않아.
천천히 다시 말해..
의견을 낸 신하는 최대한 논리를 갖춰서 설득을 하려 들 거고
그래서.. 그러니까.. 결국..
듣기엔 당연히 아주 그럴싸할 테니, 그 이면에 있는 문제점까지 들여다보기는 정말 쉽지 않지.
그러니 반드시 여러 신하의 의견을 고루 들어보라는 거야.
다음!

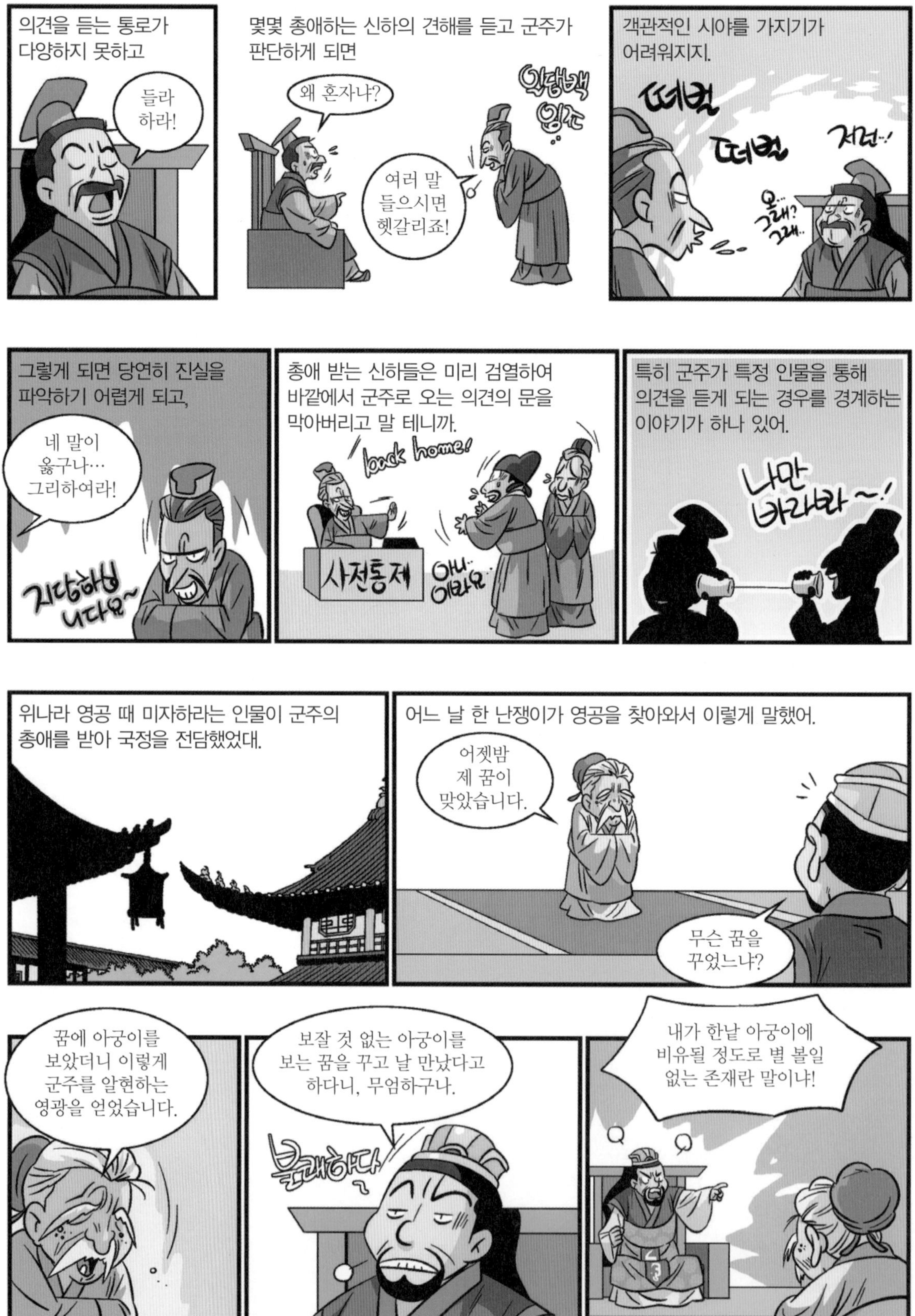
의견을 듣는 통로가 다양하지 못하고
들라 하라!
몇몇 총애하는 신하의 견해를 듣고 군주가 판단하게 되면
왜 혼자냐?
여러 말 들으시면 헷갈리죠!
객관적인 시야를 가지기가 어려워지지.
떠벌
떠벌
저런..!
오... 그래? 그래..
그렇게 되면 당연히 진실을 파악하기 어렵게 되고,
네 말이 옳구나… 그리하여라!
지당하십니다요~
총애 받는 신하들은 미리 검열하여 바깥에서 군주로 오는 의견의 문을 막아버리고 말 테니까.
back home!
사전통제
특히 군주가 특정 인물을 통해 의견을 듣게 되는 경우를 경계하는 이야기가 하나 있어.
나만 바라봐~!
위나라 영공 때 미자하라는 인물이 군주의 총애를 받아 국정을 전담했었대.
어느 날 한 난쟁이가 영공을 찾아와서 이렇게 말했어.
어젯밤 제 꿈이 맞았습니다.
무슨 꿈을 꾸었느냐?
꿈에 아궁이를 보았더니 이렇게 군주를 알현하는 영광을 얻었습니다.
보잘 것 없는 아궁이를 보는 꿈을 꾸고 날 만났다고 하다니, 무엄하구나.
불쾌하다
내가 한낱 아궁이에 비유될 정도로 별 볼일 없는 존재란 말이냐!

이렇습니다..
태양은 언제나 천하를 두루 비추며 한 사물로 그 빛을 가릴 수 없는 법입니다. 마치 군주의 지혜가 나라 안을 두루 비추기 때문에 한 사람으로는 그 빛을 가릴 수 없는 것처럼 말입니다. 그러나 아궁이의 불은 한 사람이 그 앞을 가로막고 있으면 뒤에 서 있는 사람은 그 불빛을 볼 수가 없습니다. 제가 군주를 뵙기에 앞서 아궁이를 꿈꾸었던 것으로 보아 지금 누군가가 군주 앞에서 그 총명을 가리고 있는 듯싶습니다. 그러니 제가 꿈에서 아궁이를 본 것이겠지요.(내저설 상)
둘째는 죄지은 자를 반드시 처벌하여 군주의 권위를 밝혀야 한다는 것으로
현행범!
필벌(必罰)이라고 할 수 있어.
개 한 마린데….
40년
군주가 지나치게 인정이 많아 형벌을 법에 따라 시행하지 않고 용서해 버리면
배가 고파서….
저런 쯧쯧..
군주의 권위가 떨어질 수밖에 없게 되지.
벌거 없네.. 또 훔쳐~♪
8장에서 강조했건만 …
끼잉
칭찬과 상도 필요하지만 사실 사람들을 죄짓지 않게 하는 건 엄격한 벌보다 더 확실한 건 없지.
다시는~
두 번째라… 징역 160년!
늦었어 인마!
다음 이야기는 벌의 효과를 가장 잘 드러내주는 사례라고 할 수 있어.
어디
노나라 사람이 사냥을 하기 위해 불을 질렀다가
나오면 죽음이지!
마침 바람이 심하게 불어 번져나가는 바람에 자칫하면 도읍까지 불길에 휩싸일 지경이 되었어.
튀… 튀자!
활활

군주인 애공이 직접 나서서 사람들을 지휘하며 불을 끄려 했지만
진화하라!
사람들은 짐승 잡는 데만 열중할 뿐 불을 끌 생각은 하지도 않는 거야.
토끼다! 잡아라!
와아
여기 노루도 있다!
와아
다급해진 애공이 공자를 불러 대책을 물었어.
어떻게 좀….
사냥하는 것은 재미있지만 불을 끄는 것은 힘들고 고통스럽기 때문에 그렇겠지요.
그건 당연한 말씀이 아니오!
대책을 말씀하란 말이오, 대책을…!
….
일이 다급합니다.
불을 끄는 사람들을 상을 주면 모두 불을 끄러 몰려올 텐데….
화르르…
활활
그럴 시간적 여유도 없고,
또 불 끄는 사람들을 다 상주자면 나라 곳간이 텅텅 비게 될 것입니다.
그… 그러게요..
그러니 이럴 땐 상보다 형벌로 해결해야 합니다.
아아…!
모두 듣거라!
불을 끄지 않는 자는 적에게 항복을 하거나 도망한 자와 같은 죄로 간주할 것이며,
짐승을 쫓는 자는 금지구역에 침입한 자와 같이 처벌할 것이다.

그러자 이 명령이 사람들 사이에 두루 퍼지기도 전에
….
뭐라구?
빨리 빨리….
불은 이미 다 꺼지고 말았어.
셋째는 공이 있는 자는
적장의 수급입니다!
오오…!
반드시 상과 명예로 포상하여 그들의 능력을 다하게 할 것!
4계급 특진, 휴가 3개월!
현명한 군주는 신하들이 충성심으로 무장해서 자신을 위해 일하기를 바라지 않고
충성!
후한 상으로 힘을 다하게 하지.
역시 8장에서 이야기한 내용이지?
法
송나라의 한 효자가 부모님이 돌아가시자 너무 슬퍼한 나머지
아이고..
아버지이
몸이 바싹 말라버렸어.
그만 좀 하고 보내주라…
송나라 군주가 그 소식을 듣고 어버이를 진심으로 사랑하는 효심에 감동하여
멋진 자식!
그 사람을 군대의 교관으로 임명했지.
교관
무셔….
악마 그 자체야.
상으로 벼슬자리를 준 거야.
마지막 구호 뺀다, 실시!
하나..
그 이듬해부터는 부모의 상을 당해 너무 슬퍼한 나머지 식음을 전폐하여 말라죽는 자가 10여 명에 이르렀대.
아이고….
아버님….
엄니!

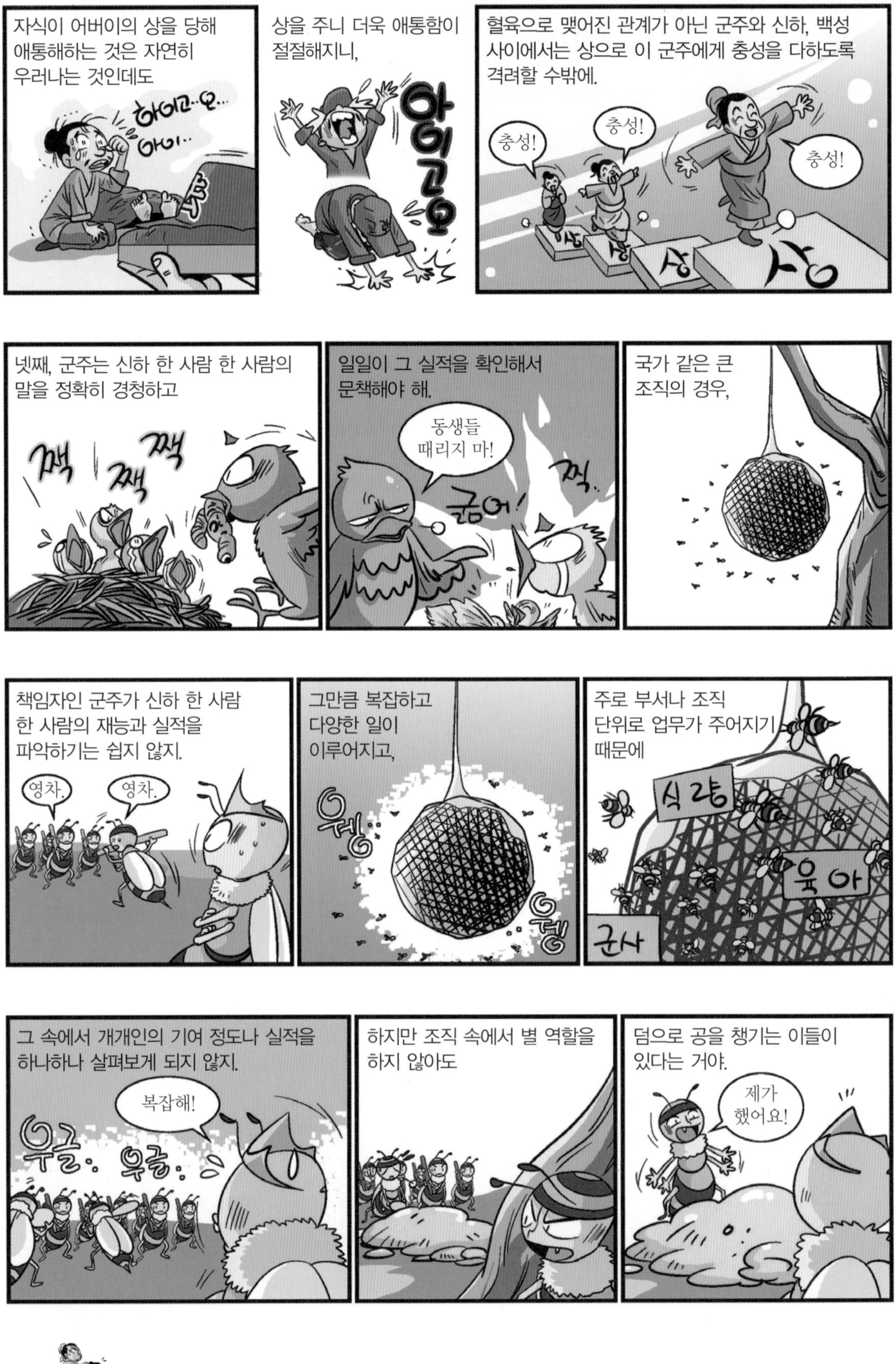
자식이 어버이의 상을 당해 애통해하는 것은 자연히 우러나는 것인데도
하이고…오…
아이…
상을 주니 더욱 애통함이 절절해지니,
아이고오
혈육으로 맺어진 관계가 아닌 군주와 신하, 백성 사이에서는 상으로 이 군주에게 충성을 다하도록 격려할 수밖에.
충성!
충성!
충성!
상
상
상
상
넷째, 군주는 신하 한 사람 한 사람의 말을 정확히 경청하고
짹
짹
짹
일일이 그 실적을 확인해서 문책해야 해.
동생들 때리지 마!
굶어!
짹…
국가 같은 큰 조직의 경우,
책임자인 군주가 신하 한 사람 한 사람의 재능과 실적을 파악하기는 쉽지 않지.
영차.
영차.
그만큼 복잡하고 다양한 일이 이루어지고,
웽
웽
주로 부서나 조직 단위로 업무가 주어지기 때문에
식량
육아
군사
그 속에서 개개인의 기여 정도나 실적을 하나하나 살펴보게 되지 않지.
복잡해!
우글. 우글.
하지만 조직 속에서 별 역할을 하지 않아도
덤으로 공을 챙기는 이들이 있다는 거야.
제가 했어요!

제나라 선왕이 피리를 불게 할 때에 언제나 300명이 동시에 연주하게 시켰어.
합주를 좋아한 거지. 성안 남쪽에 사는 한 사람이 피리를 잘 분다고 선왕을 속여
벼슬을 얻었는데, 비슷한 경우로 벼슬을 얻은 사람이 수백 명에 이르렀어.
그 후 선왕이 죽고 민왕이 왕위에 올랐는데 민왕은 합주보다는 독주를 좋아했나 봐.
그래서 한 사람씩 연주하게 했더니 성안 남쪽에 살았던 그 인물은 달아나 버렸어.
실력이 너무 엉터리라 탄로날까봐 두려웠던 거지. (내저설 상)
아무 하는 일도, 능력도 없으면서
다른 사람 사이에 끼어 대충 묻어가는 것을 무임승차라고 해.
군주는 이런 신하도 잘 가려내어서 처벌해야 기강이 바로잡히고
벌침 100방!
유능한 신하가 실력을 행사하고 무능한 관리는 몰아낼 수 있다는 거야.
추방!
우웩~
그러려면 일일이 능력과 실적을 확인하는 수밖에.
잘 지켜봐야겠군!
다섯째, 때로는 신하들을 일부러 시험해 볼 필요가 있어.
法
다 알고도 명령을 내려 아랫사람을 시험해 볼 필요도 있어.
이것 봐라…?!
세금장부
그래야 군주는 실상을 제대로 파악할 수 있고,
새는 세금 없지? 조사해 봐!
뜨끔

신하가 군주를 속여 사리사욕을 채울 수 없게 되지.
그만 해야겠소이다.
약간 치사한 방법이긴 한데 일종의 함정 수사 같은 거지.
오~예~!!
또 군주 스스로 충분히 알고 있으면서 모르는 척하고
요즘 국제 정세가 어떠니?
TIMES
신하에게 물어보거나 일부러 말을 거꾸로 하고 일을 반대로 해서 신하를 시험해 볼 필요가 있어.
내 인기가 하늘을 찌른다며?
그렇게 하면 군주가 미처 몰랐던 사실까지 알게 되거든.
아뢰옵기 황공하오나….
그와는 반대 상황이….
역시…!
그리고 군주가 한 가지를 깊이 알고 있다는 것을 알게 되면 신하들은 감히 숨기지 못하고 모든 비밀을 다 이야기하게 되지.
신은 다 알고 있었느니라
네?
송나라 재상이 어느 날 밤 아랫사람에게 명령했어.
소문에 의하면 요사이 밤마다 사람들의 눈을 피해서 수레를 타고 ○○집에 드나드는 자가 있다고 하니
주의해서 동정을 살펴보고 오너라.
얼마 후 그 사람이 돌아와 보고했어.
수레를 타고 온 자는 볼 수가 없었습니다.
대신 상자를 들고 온 사람이 ○○와 이야기를 나누다 ○○에게 그 상자를 주고 돌아갔습니다.
사실, 재상은 그 아랫사람이 혹 ○○에게 매수되었는지 아닌지를 살펴보기 위해 일부러 명령을 내렸던 것이거든.
소인은 이만….
그래, 쉬거라.

그 상자를 가지고 간 인물은 아마 재상이 보낸 사람이겠지?
이 상자를 가져다 주고 오게.
네!
이런 식으로 하여 자기가 뻔하게 아는 사실을 흘려 아랫사람이 제대로 명령을 수행하나 안 하나, 또는 충직한 신하인지 아닌지를 시험해 볼 필요가 있다는 거야.
툭
툭
아… 여독이 안 풀리네….
기특한 놈!
여섯째, 어떤 일이 생기면 이 일로 인해
쏴아아아아
유리한 사람과 불리한 사람이 있게 마련이니까
쏴…
부채세일
우산
이 일로 이익을 얻는 자가 누구인지를 면밀히 살펴봐야 한다는 거야.
팔랑
팔랑
열 받네.
다 팔았네…
부채세일
군주 주위에는 경쟁자를 끌어내리고
군주와 가까운 자리를 차지하기 위한 음모와 모함이 판을 치고 있다고 봐야지.
저 자리는 원래 대감께서 오르셔야….
내게 묘안이 있소이다!
속닥..
..속닥..
그러니 일이 생겼을 때 자세히 알아보지 않고 처벌 먼저 하게 되면
뭐라?
역모를 꾀했다고!
엉뚱한 인물이 누명을 쓰고 쫓겨나고
그 자리를 음모를 꾸민 이가 대신 차지하는 경우가 있어.
감투가 어울리네요~!
다음의 사례가 좋은 교훈을 주지.

진나라 문공 때 요리사가 고기구이를 올렸는데 머리카락이 감겨 있었어. 화가 난 문공이 요리사를 불러 꾸짖었지. '너는 과인이 머리카락을 삼켜 목구멍이 막히도록 할 작정이었더냐? 어째서 이런 짓을 하느냐?' 요리사가 머리를 조아리며 말했어. '신은 세 가지 죽을 죄를 저질렀으니 죽어 마땅합니다. 먼저 숫돌에 갈아 예리하기 그지없는 칼로 고기를 잘랐지만 머리카락은 자르지 못했으니 이것이 첫 번째 죄입니다. 다음은 꼬챙이로 고기의 살점은 꿰었습니다만은 머리카락은 뚫지 못했으니 이것이 두 번째 죄입니다. 그리고 그것을 활활 타는 숯불에 속까지 완전히 익도록 구웠는데도 머리카락을 태우지 못했으니 이것이 세 번째 죄입니다. 이런 점으로 미루어볼 때 아랫사람 가운데 저를 질투하는 자가 있는 듯하오니 부디 진상을 밝혀 주십시오.' 문공이 요리사의 말을 듣고 용의자를 불러 조사한 결과 범인이 밝혀졌다는 거야.(내저설 하)

마지막으로 고발제의 활용이야.
이것 역시 그다지 산뜻한 방법은 아니지만
무단투기!
궁궐 깊숙이 있는 군주 입장에서 나라가 돌아가는 형편을 알기 위해,
안에만 있으니 도통 모르겠네….

법을 어기고 권력을 휘두르는 신하들을 견제하기 위해서는
저놈…
필요악이라고 할까?
뒤를 캐 보아라!
네!
즉, 없는 것이 좋긴 하지만 상황에 비추어 보았을 때 어쩔 수 없이 요구되는 것이지.
하.. 하..
좀 있으면 내 세상이라니까!

현명한 군주는 나라의 모든 사람으로 하여금 군주 자신을 위하여 보게 하고,
나라의 모든 사람들이 군주 자신을 위하여 주의 깊게 듣도록 한다.
그렇기 때문에 자신은 깊숙한 궁중 속에 있으면서도 온 세상을 샅샅이 다 볼 수 있어서
어떤 사람도 그의 눈을 가릴 수 없고, 어떤 사람도 그를 속일 수 없다.
(간겁시신)

같은 법가로서 나의 선배인 상앙 선생께서
완벽한 법체계를 갖추자!
중국 변방의 하잘 것 없는 촌뜨기 진나라를 강력한 패자로 만들 때
촌놈 우습게 보지 말라고 했지?
탁
탁
아이고오
법으로 강력히 시행한 것도 바로 이 고발제였어.
일명 연좌제라고도 하는데
연좌제
백성들을 다섯 집(五家)이나 열 집(十家)씩 묶어 서로 감시하게 해서
우리가 A조!
우리 B조!
한 집이 죄를 짓게 되면
나라가 뒤숭숭하니
후우
걸렸쓰~
나머지 아홉 집이 그 죄를 관가에 고발하게 했어.
제가 봤어요.
제가 먼저 봤어요!
만약 그 죄를 관가에 알리지 않는다면
이웃끼리….
그냥 넘어가죠!
열 집에 연대 책임을 물어 함께 벌하는 거지.
A조 모두 집합!
하지만 다른 사람의 죄를 고발한 자는 전쟁에 나가서 적군의 목을 베어서 공을 세운 것과 같은 상을 내리는 거야.
라라라
포상
이…이건… 주둥이 하나로…
포상

즉, 죄인 한 사람을 고발하면 벼슬 한 등급을 올려주는 거지.
더 잘 할게요!
또 죄인을 숨겨주는 자 역시
나오지 마!
죄인과 동일하게 처벌하는 거야.
미안, 친구야…
친구끼리 뭘…
또 여행객이 여관 같은 곳에 묵게 되면
빈방 있어요?
신분을 증명하는 증빙 서류를 갖추어야 하며
성명 이대로
생년월일
만약 신분을 확인할 수 없는 사람은 절대 재워주면 안 되도록 했지.
제가 성형해서 그래요..
얼굴이 다르네. 안돼!
휙
집안사람이 죄를 짓게 되면?
집안의 수치다! 썩 나가라!
아빠
물론 그 집안사람은 모두 관가의 노비가 되는 거지.
미안~ 아들
아빠 미워!
연대책임이라니까….
너무 지독하다고?
누구냐?
죽을라구
하긴, 세월이 한참 지난 오늘의 민주주의 사회에 살아가는 너희들이 생각하기엔
法
우우..
참 어처구니 없는 법 같겠지?
바로 옆에 있는 친구나
늘 음식도 나눠먹고 친하게 지내는 이웃사촌,
드셔 보세요
매번 고마워..

옆집 아저씨의 잘못을 신고하지 않는 것조차 죄가 된다니.
침묵은 금이다!
그런데 애들아!
너희 나라에도 아직도 그런 법 있는 것 아니니?
예에?!
일명 불고지죄.
침묵은 죄다!
국가보안법 제10조에는 국가의 안전을 위태롭게 한 자를 신고하지 않는 자도 처벌하도록 되어 있단다.
제10조
그런 사람을 알고도 신고하지 않으면 5년 이하의 징역이나 200만 원 이하의 벌금에 처한대.
인권 탄압이다!
이 조항을 삭제하라!
민주주
하지만 아직도 대한민국 법에 엄연히 존재하고 있는 조항이지.
국가 보안법
대한민국
법, 세, 술에 대한 내용이 이해가 좀 되니?
사실, 이건 내 사상 중에서 가장 핵심적이기 때문에
단박에 이해하긴 조금 어려울 수도 있어.
조금 이해가 덜 되었다 싶으면 다시 한 번 찬찬히 읽어볼래?
너무 무시하시는 거 아니에요?
정말..
알았어, 알았다고….
그래, 하지만 이제 결승지점이 얼마 남지 않았으니 한숨돌려서 이야기를 계속해 보자.
좋아요!

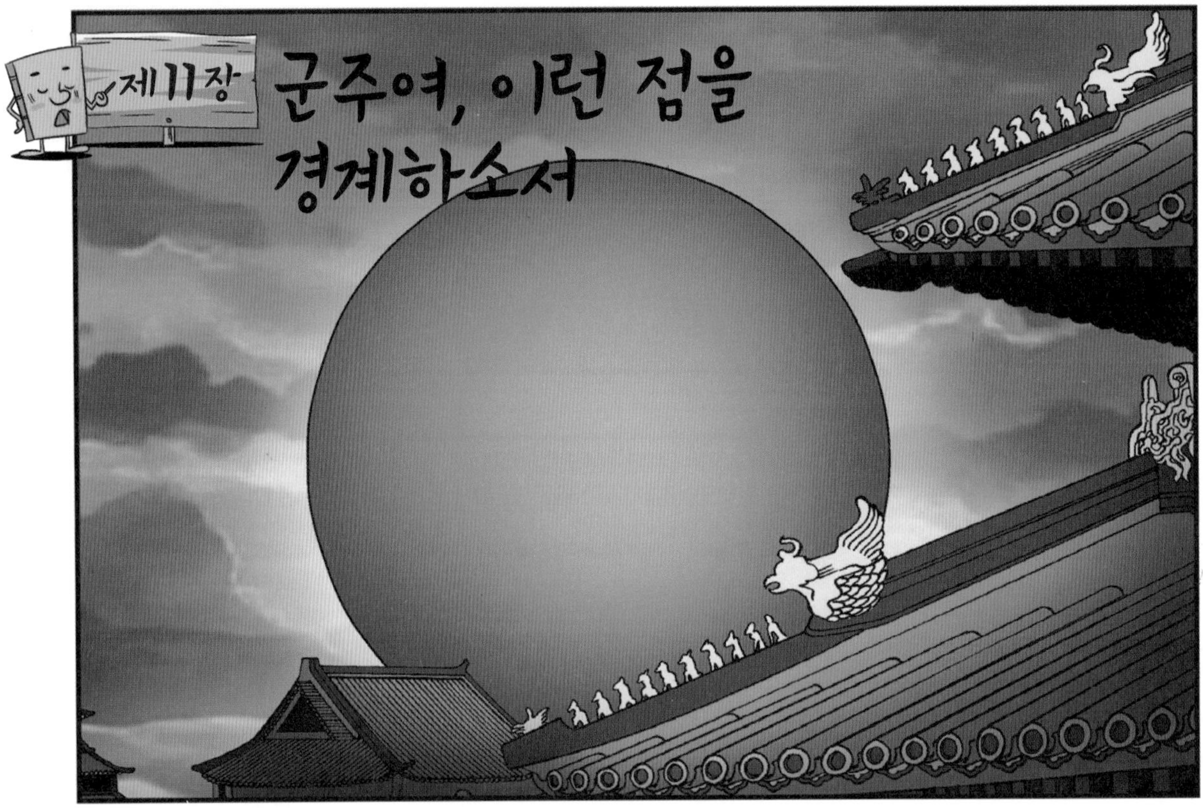
제11장
군주여, 이런 점을 경계하소서

지난 6장부터 10장까지는 나의 사상의 가장 중심 되는 내용이라고 할 수 있는
1장 ~ 10장
법, 술, 세에 대해 좀 자세히 설명을 했지.
법.세.술
때론 너희들이 살아가고 있는 현재의 세상에서도 충분히 적용되고 있는 내용도 있고,
고개를 끄덕이게 하는 내용도 있었을 거야.
아함~!
끄덕
물론 《한비자》가 절대군주 시대, 그것도 극심한 혼란기와 전쟁 시기를
극복하기 위해 쓰였다는 것을 감안하고 읽어야 할 내용도 많았을 거야.
음..
이시대는 이랬으니

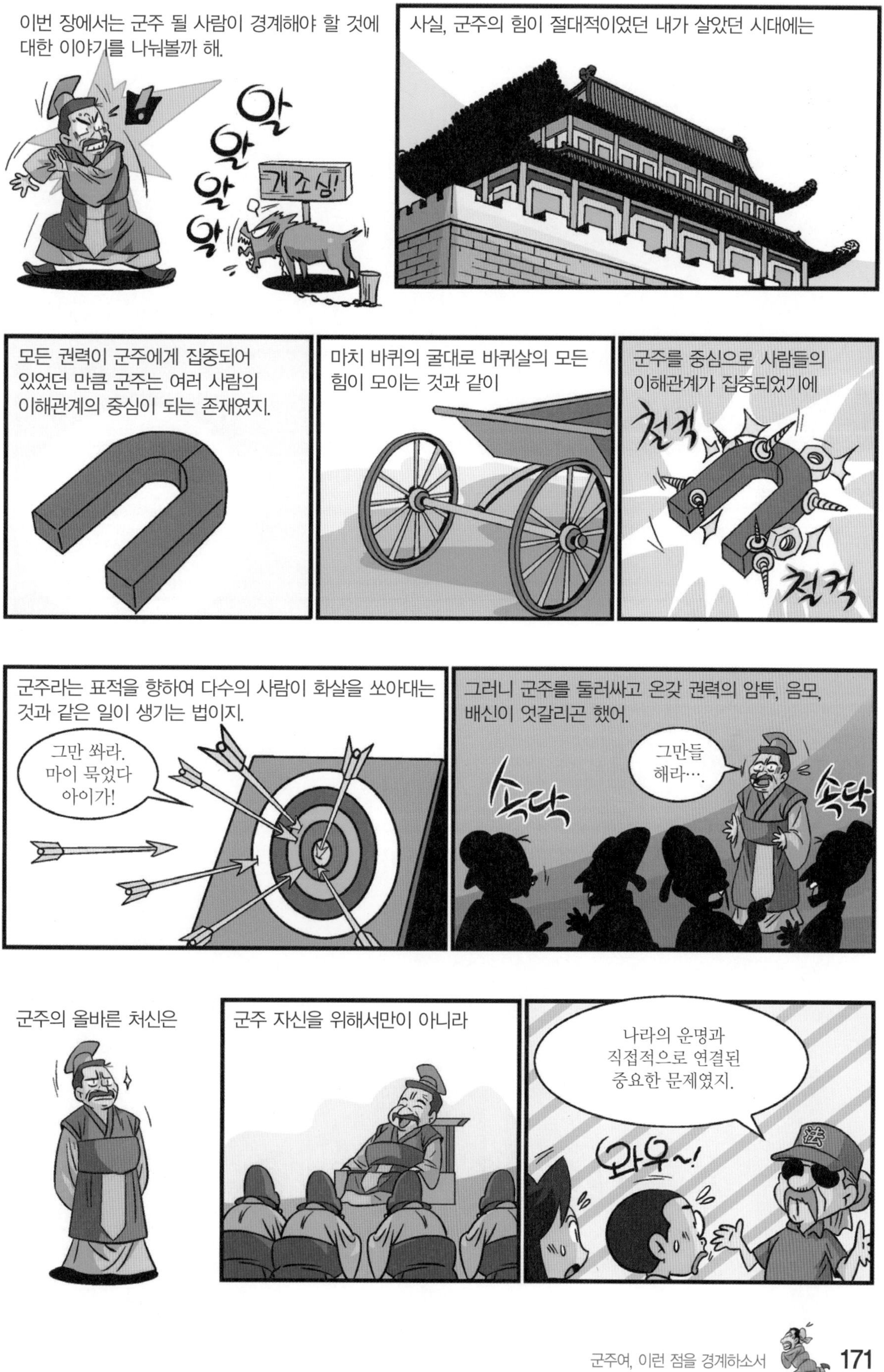
이번 장에서는 군주 될 사람이 경계해야 할 것에 대한 이야기를 나눠볼까 해.
앜
앜
앜
앜
개조심!
사실, 군주의 힘이 절대적이었던 내가 살았던 시대에는
모든 권력이 군주에게 집중되어 있었던 만큼 군주는 여러 사람의 이해관계의 중심이 되는 존재였지.
마치 바퀴의 굴대로 바퀴살의 모든 힘이 모이는 것과 같이
군주를 중심으로 사람들의 이해관계가 집중되었기에
철컥
철컥
군주라는 표적을 향하여 다수의 사람이 화살을 쏘아대는 것과 같은 일이 생기는 법이지.
그만 쏴라. 마이 묵었다 아이가!
그러니 군주를 둘러싸고 온갖 권력의 암투, 음모, 배신이 엇갈리곤 했어.
속닥
그만들 해라….
속닥
군주의 올바른 처신은
군주 자신을 위해서만이 아니라
나라의 운명과 직접적으로 연결된 중요한 문제였지.
와우~!
法

가장 먼저 이야기하고 싶은 것은 절대로 사람을 믿지 말라는 거야.
너만 믿는다!
심려 마시옵소서!
모든 군주의 근심은 사람을 믿는 것에서 비롯된다는 것이 내 지론이야.
너무 삭막한데요.
정말….
《한비자》의 한 구절을 소개할게.
군주의 재앙은 다른 사람을 믿는 데서 생긴다. 사람을 잘못 믿으면 그 사람에 의해 좌지우지 당하게 된다. 군신은 혈육에 의해 맺어진 관계가 아니며 단지 신하는 군주의 지위와 권력에 압도되어 할 수 없이 섬기고 있을 뿐이다.
그렇기 때문에 신하는 쉴 새 없이 군주의 속 마음을 엿보며 자신의 이익을 취하기 위해 노리고 있으니 잠시도 마음을 놓아서는 안된다. 그런데도 군주는 이러한 사실을 알지 못하고 안이하게 높은 자리에 앉아 만족하며 우쭐거리고 있다. 이것이 곧 군주를 위협하거나 시역(임금이나 부모를 죽임)하는 자가 나타나는 까닭이다.(비내)
열 길 물속은 알아도
물이 맑아 잘 보이네.
한 길 사람 속은 모른다는 말이 있지.
안 보이네….
뭐니?
더구나 최고의 권력을 쥐고 있는 군주의 자리는 그 자리를 노리는 사람도,
군주의 위세를 빌려 자신의 이익을 꾀하는 자들도 주위에 늘 들끓게 마련이지.
대왕의 위임장이오!
참나~ 내가 대왕의 사돈의 8촌이라구!
내가 늘 강조하고 강조했듯이,
군주와 신하 사이는 이해관계로 맺어졌다는 사실을 잊어선 안 돼.
그러니까 제말이요
그건 아니지!

주나라 이래로 멸망한 나라가 수십이나 되는데,
별이 또 하나 지네….
그중 신하가 그 군주를 살해하고
서걱
국가를 탈취한 경우가 태반이지.
이젠 내가 King이다!
그러고 보면 국가의 재난은
비상!
비상!
외적의 침입을 받아서 일어난 경우와
안으로부터 일어난 경우가 각각 절반씩을 차지하는 셈이야.
반역이다!
네놈이…!
앞의 경우야 최선을 다해도 힘에 미치지 못하여 어쩔 수 없이 당한 일이지만,
뒤의 경우는 정말 어이없는 일이잖아.
군주가 특히 주의해야 할 다섯 종류의 신하들이 있어.
턱!
※주의
① 자신
② 높은
첫째, 자신의 사재를 털어 많은 사람에게 은혜를 베풀어 민심을 얻으려는 신하,
자, 자… 용기내고….
천사예요
둘째, 높은 지위를 이용하여 파당을 만들어 자기의 일당에게는 이익을, 반대 패거리에는 해를 주어서 사람들을 자기의 똘마니로 만드는 신하,
저리로 돌아가!
쟤는 우리편이 아니다!
뭐니… 너네!

셋째, 평소 지혜 있는 자를 모아 자신의 부하로 삼아 이 인물의 힘에 의해 자신의 야심을 키워가는 신하,
My brains!!
넷째, 죄를 지은 자를 용서하고 구속되어 있는 자를 석방하여 사람들의 신망을 얻어 자기의 세력을 확장하려는 신하,
석방 시켜주면 나를 따를래?
끄덕 끄덕
그럼요!
다섯째, 아랫사람의 옳고 그름에 대하여 논하기를 즐기고 군주를 비방하고 특이한 언행으로 사람들의 눈길을 끌려고 하는 신하,
말투가 재밌으셔….
이런 신하는 반드시 배척해야 한다는 게 내 주장이야.
군주가 이런 종류의 신하들을 주위에 두고 신임하여
귀여운 것들… 무럭 무럭 커라.
세력을 펴게 내버려 둔다면
나 잡초!
반드시 그들로부터 뒤통수를 맞을 날이 온다는 거야.
이젠 내 땅!
심지어 군주는 사랑하는 아내도 절대 믿으면 안 돼.
까꿍!
혈육으로 맺어진 부모 자식 사이에도
할짝
깔깔
권력을 잡기 위해 서로 피를 보는 경우가 있는데,
내 너를 어찌 키웠거늘~
하늘의 뜻입니다.

하물며 돌아서면 남남인 부부 사이에서야 말해 무엇하겠어.
남보다도 못해!
특히 군주의 총애를 잃어 버린 아내는,
그동안 주변에서 알랑거리며 비위를 맞추던 사람들도 하나 둘 사라지고,
어험!
바빠서
이··이보시오··
배신감에 분노하다가 점점 외롭고 힘없는 처지에 놓이게 되지.
하이고오··오··
아이이··고오··
그럼 절치부심하게 되는 거야.
절치부심이란 몹시 분해 이를 갈며 속을 썩는 것을 말해.
두고 봐라.
내 아들이 왕이 되면….
부들··
부들
그러다가 세월이 지나면 초초해지지.
부웅~
난 비행기야!
혹 자신에게서 멀어진 군주의 마음처럼
아빠, 나 비행기야!
자신이 낳은 자식에게서 군주의 마음이 떠나지 않을까?
에잉
아빠··
쯧쯧….
매몰차게 자신에게서 등을 돌리던 모습을 떠올리며
역시 믿을 건 권력밖에 없다는 걸 절실히 깨닫게 되는 거야.
엄마도 비행기 싫어해?
우앵··
게다가 새로 군주의 총애를 받게 된 여인의 자식을 총애하는 군주의 모습이라도 눈에 띄는 날엔….
이쁘죠?
어이쿠 내새끼

권력의 세계는 피도 눈물도 없이 비정한 것.
당신을 또… 닮았어요~
이제 아내는 딴 맘을 먹게 되는 거지.
즉 자신의 자식을 왕위에 올리기 위해 군주를 해하려 하는 거야.
반드시…!
내 동생~

또 특별히 딴 맘 없었던 아내일지라도
쇼핑이나 갈까?
우우웅
권력을 노리는 간신들이 아내를 꼬드기게 되면
쇼핑할 때가
아니죠
피비린내 나는 사태가 발생하는 경우가 종종 있지.
피?!
어디?
어디?

후궁이나 정실의 아들을 태자로 세우게 되면 이따금 그 군주가 빨리 죽기를 바라는 경우가 있다. 원래 부부란 부자나 형제처럼 혈육의 관계로 맺어진 것이 아니기 때문이다. 남편이 아내를 사랑하면 가까워지지만 사랑하지 않으면 사이가 멀어지게 된다. 남편에게 사랑받는 어미의 자식은 귀여움을 받는다고 했다. 반대로 남편에게 미움을 받는 자식은 버림받게 된다.(비내)

그리고 후계구도와 관련해서 주의해야 할 것이 또 있어.
…좀 앉자~!
주나라 때의 옛 기록에 이런 구절이 나와.
후궁을 총애하여 정실 왕비를 욕되게 하지 말라. 정실 왕비가 낳은 적자와 후궁이 낳은 서자를 동등하게 취급하지 말라.(설의)

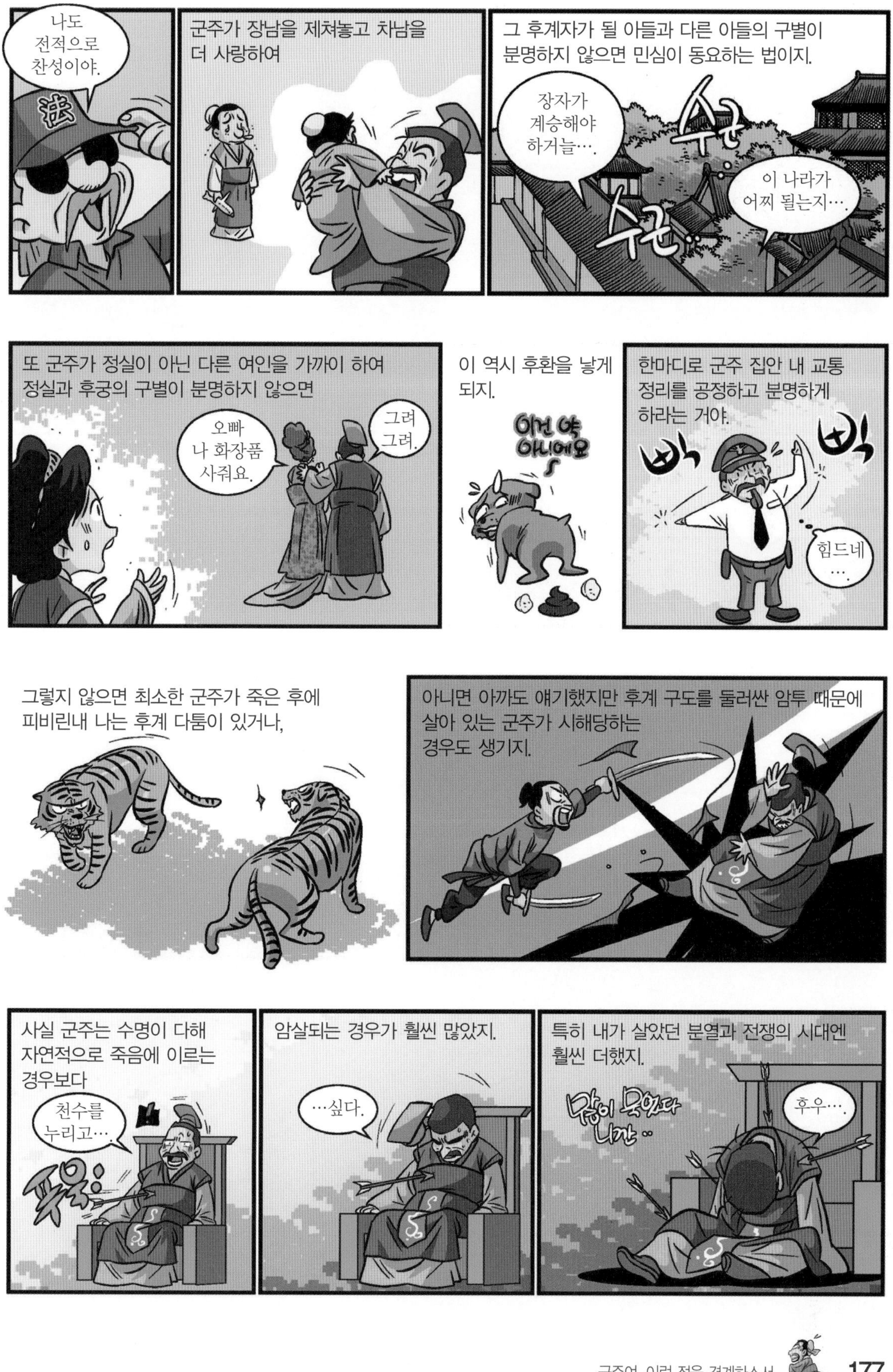

나도 전적으로 찬성이야.
法
군주가 장남을 제쳐놓고 차남을 더 사랑하여
그 후계자가 될 아들과 다른 아들의 구별이 분명하지 않으면 민심이 동요하는 법이지.
장자가 계승해야 하거늘….
수군
이 나라가 어찌 될는지….
수군..
또 군주가 정실이 아닌 다른 여인을 가까이 하여 정실과 후궁의 구별이 분명하지 않으면
오빠 나 화장품 사줘요.
그려 그려.
이 역시 후환을 낳게 되지.
이건 약 아니에요
한마디로 군주 집안 내 교통 정리를 공정하고 분명하게 하라는 거야.
삑
삑
힘드네….
그렇지 않으면 최소한 군주가 죽은 후에 피비린내 나는 후계 다툼이 있거나,
아니면 아까도 얘기했지만 후계 구도를 둘러싼 암투 때문에 살아 있는 군주가 시해당하는 경우도 생기지.
사실 군주는 수명이 다해 자연적으로 죽음에 이르는 경우보다
천수를 누리고…
푸욱!
암살되는 경우가 훨씬 많았지.
…싶다.
특히 내가 살았던 분열과 전쟁의 시대엔 훨씬 더했지.
많이 묵었다 니가..
후우….

옛 기록을 보면 군주가 병으로 죽는 경우는 암살되는 경우의 절반도 못된다고 했다.
군주의 죽음을 이롭다고 하는 자가 많으면 군주의 목숨이 위태롭다고 했다.
군주된 자가 이러한 이치를 모르면 반드시 변을 당하게 되는 것이다. 그러므로 말하기를
'군주가 죽어 이로움을 보는 이들이 많다면 그 군주는 위태롭다.'라고 하는 것이다.
(비내)

군주가 성공을 하기 위해서는 유능한 관리를 등용하는 것이 아주 중요하지.
공 고
유능한 인재 모집
연봉 : 빵빵함
지난 9장에서 이미 유능한 관리를 임용하고 관리 감독하는 것이
군주가 갖추어야 할 술임을 특히 강조했었지.
法
그런데 유능한 인재를 구하는 게 생각보다 쉽지 않지.
이런….
나백수
토익점수 300
지몽미
맘에 딱 맞는 유능한 인재를 구하기가 어렵다면
하나같이 이 모양이냐.
다음의 이야기를 되새겨 보아야 해.
송나라에 술을 만들어 파는 장 씨라는 사람이 있었어.
그는 절대 술의 양조차 속이지도 않는 정직한 사람인데다,
됐어!
정품, 정량
아닐시 200% 보상
손님에게 매우 친절하고 술 빚는 솜씨도 훌륭해서 술맛도 아주 좋았지.
정성껏!
휘익..
순곡주
순곡주

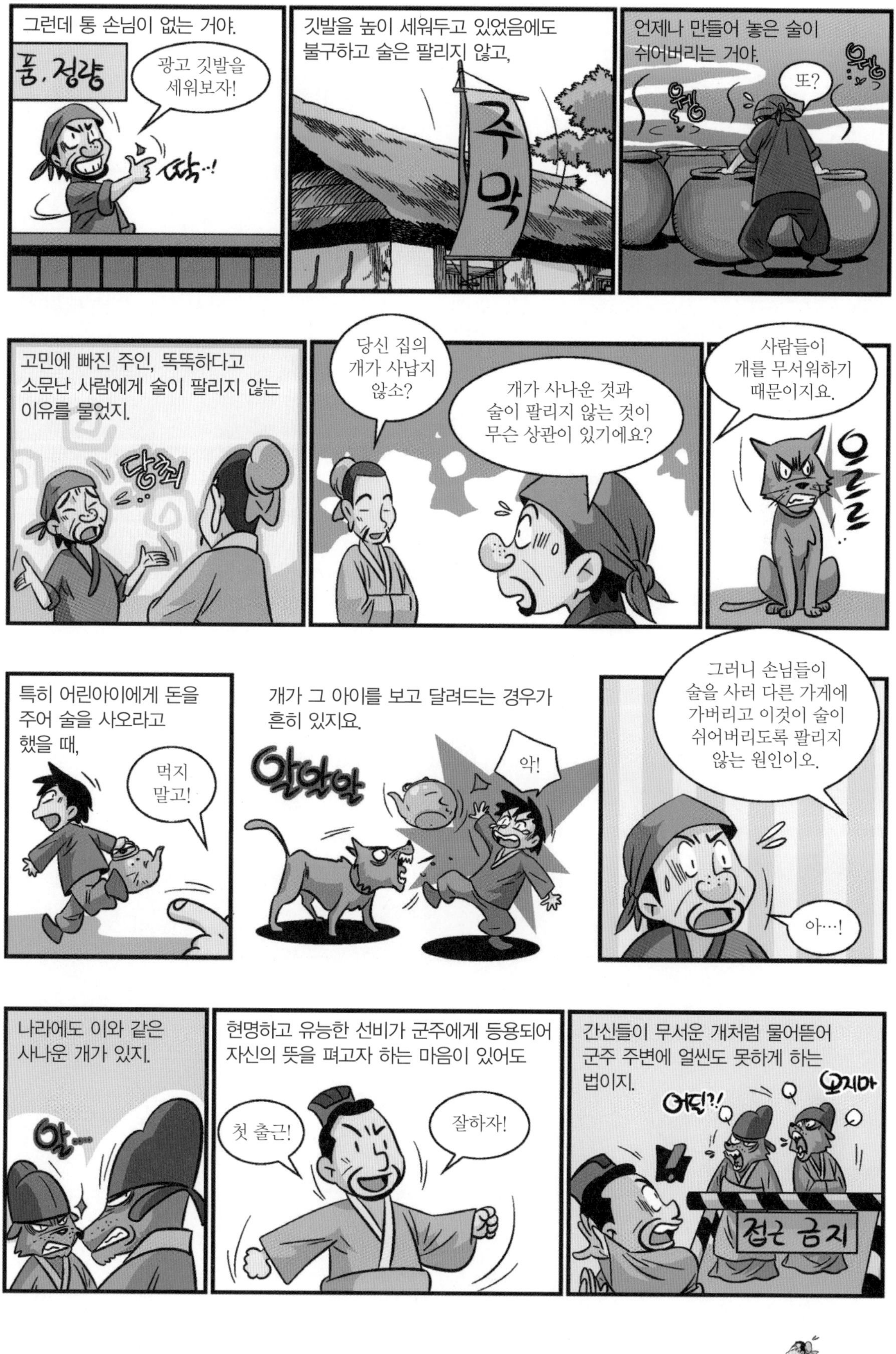
그런데 통 손님이 없는 거야.
품, 정량
광고 깃발을 세워보자!
딱…!
깃발을 높이 세워두고 있었음에도 불구하고 술은 팔리지 않고,
주막
언제나 만들어 놓은 술이 쉬어버리는 거야.
또?
우웡
우웡
고민에 빠진 주인, 똑똑하다고 소문난 사람에게 술이 팔리지 않는 이유를 물었지.
당최
당신 집의 개가 사납지 않소?
개가 사나운 것과 술이 팔리지 않는 것이 무슨 상관이 있기에요?
사람들이 개를 무서워하기 때문이지요.
으르르
특히 어린아이에게 돈을 주어 술을 사오라고 했을 때,
먹지 말고!
개가 그 아이를 보고 달려드는 경우가 흔히 있지요.
악악악
악!
그러니 손님들이 술을 사러 다른 가게에 가버리고 이것이 술이 쉬어버리도록 팔리지 않는 원인이오.
아…!
나라에도 이와 같은 사나운 개가 있지.
악…
현명하고 유능한 선비가 군주에게 등용되어 자신의 뜻을 펴고자 하는 마음이 있어도
첫 출근!
잘하자!
간신들이 무서운 개처럼 물어뜯어 군주 주변에 얼씬도 못하게 하는 법이지.
어딜?!
꼬지마
접근 금지

유능한 인재는 일할 기회조차 갖지 못하고,
웬 개들이…
지혜 역시 발휘할 수 없게 되지.
이러니 나라꼴이 뭐가 되겠어.
제나라 환공이 관중에게 물었던 적이 있지.
나라를 다스리는 데 있어 가장 걱정해야 할 것이 무엇인가?
사직(나라 또는 조정)에 들끓고 있는 쥐새끼입니다.
쥐가 걱정이라니 무슨 뜻인가?
왕께서는 집 짓는 광경을 보신 적이 있다면 아실 것입니다.
먼저 목재를 세우고 흙을 바르는데 쥐새끼는 거기에다 구멍을 뚫고 살게 됩니다.
자갸~ 나왔어!
쥐를 쫓아내려면 불을 지르는 것이 가장 좋은 방법이지만 목재에 불이 옮겨 붙을 수도 있고,
다 탔네….
우린 멀쩡하지롱~
치익…
물을 붓자니 벽이 무너져 내릴 염려가 있지요.
엉엉…
그러니 들끓는 쥐새끼를 잡지 못하는 것입니다.
지금 군주의 좌우 측근(곁에서 가까이 모시는 사람)들은 궁 밖에서는 세도를 부리며
민심을 잘 돌봐라!
네!
나가면 내가 왕이지 뭐!
백성들로부터 이익을 거두어 들이고 있습니다.
장난하니?
워낙에 불경기라서….

또한 궁 안에서는 서로 당파를 만드는 못된 행동으로 군주의 눈과 귀를 가리며,
허당
짱당
허접 한것들
군주의 부족한 점을 밖에 알리는 등
너만 알어.. 알쮜?
나라 안팎의 일을 멋대로 조정하기 때문에
왕이….
수군
수군
약간 모자르다는….
신하들은 모두 그들을 겁내고 있습니다.
뭐야?
그러한 신하들을 벌하지 않으면 군주의 지위가 위태로워지는데도,
뭘 봐, 짜식들아!
아니라오…
그들은 군주의 신임을 방패삼아 편안한 나날을 보내고 있지요.
그 측근들이 바로 사직의 쥐새끼입니다.
무.. 무섭소..
측근 신하들을 경계하라!
정도로 정리하고 다음 이야기로 넘어갈게.
군주가 관리들을 다스릴 때 관리는 자기에게 맡겨진 그 직분에 충실하도록 해야 한다는 것은 두말하면 잔소리지.
대왕, 귀지 파실 시간이옵니다.
오냐, 잘 해라..
맡겨진 임무를 다하지 못하면
악!!
왜요?
반드시 벌해야 한다는 이야기는 앞에서 누누이 말했으니 다시 말할 필요가 없겠지.
귀 파주랍신다!
사…샬!!
이리 대!
여기에서 자신의 직무란 반드시 자기에게 맡겨진 일만을 이야기 한단다.
다녀 올게… 아들!
오늘 할일
① 개밥주기
② 개산책 시키기
③ 개목욕시키기
④ 개운악 들려
⑤ 개 재우기
이… 이런!
멍미…?
한나라 소후가 취해서 잠을 자고 있는데,
드르렁.. 푸우..

임금이 추워 보여 임금의 모자를 맡고 있는 관리가 옷을 덮어 주었어.
잠에서 깨어난 임금은
주변 사람들에게 물어보았지.
누가 내게 옷을 덮어 주었느냐?
모자를 담당하는 관리가 그랬습니다.
아니? 옷을 담당하는 관리는 뭐하고 있었기에?
여기까지만 듣고, 맞혀 봐.
임금이 어떻게 했게?
옷을 담당하는 관리는 당연히 처벌 받았겠지?
그럼 옷으로 임금을 덮어 주었던 모자를 담당하는 관리는?
당연히 큰 상을 받았겠죠!
그랬을 것 같지? 그런데 땡!
임금은 옷을 담당하는 관리와 모자를 담당하는 관리 둘 다 처벌했어.
왜요?
왕이 술에 취해 무지 더워서 옷을 덮어 준 게 싫었나 보죠?
아니, 이유는 단 하나,
자기의 임무를 다하지 않아서.
무슨 소리냐구?
예에?!

옷을 담당하는 관리는 자신의 임무를 다하지 못했기 때문에,
괜히 껴들어 가지고….
그리고 모자를 담당하는 자는 자기 임무를 넘어서는 일을 했기 때문에…
네가 하지 그랬냐….
현명한 군주는 신하가 자기 직분을 넘어서서 공을 세우는 것을 허락하지 않지.
오버하지마라
음냐 음냐..
앗차!
사실 11장의 이야기가 군주가 경계해야 할 비교적 사소한 점을 이야기한 것이라면
왈 왈 왈 왈
개조심!
지금부터 말하려는 것은 군주가 나라를 다스리는 데 필요한 일종의 원칙 같은 거야.
국가의 흥망성쇠
사실 어느 시대나 정치란 어려운 법이지.
군주나 정치가가 확신에 차서 새로운 제도를 도입하려 해도
어때?
부자 세금 더내기!
사람들이 기존의 것에 익숙해져 있어.
에이~ 왜 그러세요.
막연히 새 제도에 대해 불만을 가지거나
그럼 누가 일하겠어요!
나라도 싫겠어요!
무리예요.
또는 수많은 이해관계가 얽혀 있어
사실… 우리만 피보는 거 아니냐구….
말도 안 되지!
새 제도에 대한 저항이 만만치 않은 경우가 있지.
절대 인정 못 합니다!
어떤 제도도 그 제도를 시행함으로써 얻을 수 있는 이익과 손해가 있기 마련이야.
푹
세금 폭탄
생계비
우린 좋은디…
부자
가난한 자

그때 군주의 선택은?
군주가 일을 하려고 할 때 전체를 파악하지 못하고 의욕만을 앞세우는 경우, 그 하는 일은 이익을 얻지 못하고 반드시 손해로 돌아오게 된다. 실제 일을 하는 데는 정해진 원칙이 있으니, 들어오는 이익이 더 많게 하고 손해를 적게 해야 하는 법이다. 지혜롭지 못한 군주는 이러한 이해득실을 잘 헤아리지 못하여 자기에게 이익이 있는 것만 생각하고 그 때문에 지출되는 쪽, 즉 어느 만큼의 손실이 있다는 것은 생각하지 않아 지출이 수입의 두 배가 되는 손해를 입어도 알지 못한다. 이는 겉으로만 이익이고 실제로는 없는 것이니 그렇게 되면 공로는 적고 해는 크다. 만일 막대한 비용을 들이고서도 죄가 되지 않고, 소득이 적은데도 공로가 된다면 신하들은 막대한 비용을 써가며 그러한 작은 공로를 이루려 할 것이다. 작은 공로를 이루면 군주 역시 손해를 보는 것이 된다.
(남면)
정말 쉬운 일이 아니네요.
그러게….
사실 군주와 신하의 처지는 또 달라서
나라에는 대단한 손실이 있더라도
너무 황량하다!
조그마한 이익이 있어 그것이 신하 자신의 공으로 돌릴 수 있다면
저만큼… 인공섬을 만들자!
신하들은 많은 비용을 허비하더라도
내 돈도 아닌데 뭐.
좌락
작은 공을 세워서 입신출세를 하려고 들지.
아… 조오타!
그래서 신하는 출세하더라도
참 잘 만드셨어요.
시민들이 좋아해요.

국가와 군주는 큰 손해를 입고,
이… 이런 IMF…!
IMF
결국 백성들이 고달프게 되는 법이야.
왕이 허접해서….
재상이 나라 말아먹네….
이젠 어떡해….
그럼 군주가 일을 시행할 때 가장 중심에 놓고 생각해야 하는 것은 뭘까?
쉽지 않아!
KING
기우뚱
당연히 백성의 행복이지.
됐다!
백성 행복
나라를 잘 다스려서 백성이 행복하게 되는 일이라면
세제 개편!
이게 좋겠다!
정책 수립
어떠한 어려움이 있어도 사업을 벌여야 해.
이 정도는 무시한다!
*애로사항
①국민적 합의
②소수 대신들의 반대
시간이 지나면 그 효과를 인정하게 되긴 하지만
살맛 나네….
처음엔 못 미더웠는데….
역시 킹왕짱이다.
처음에는 그동안의 관행이나 관습에 익숙해져 있던 사람들이
결국 우리 돈 뺏기 아니오!
그러니까요!
내 말이!
새로운 제도에 익숙해지는 데 시간이 걸려
빨리 기사 써라!
언론
여론의 질타를 받는 경우도 있어.
군주독재
누굴위한
그 이유는?

대체로 일반 백성들은 교육의 수준이 낮고
니은…?
생각도 깊지 않으니까 지금까지의 습관에 연연하게 마련이거든.
서머타임 실시!
아이 참, 번거롭게….
우아, 돌이 마구 날아오네!
딱
그만 그만!
내 얘기 좀 더 들어보라고!
흥분하지만 말고
휴우~
괜찮으세요?
너희들이 살고 있는 시대 역시 여론이 반드시 정확한 진실만을 반영하는 것은 아니야.
국민 대부분이 찬성한 걸로….
설마!
어떤 제도를 시행할 때나 정치적인 이슈가 있을 때
이 강을 살려야 해!
자세한 내막도 잘 모르는 이에게
따르릉
다짜고짜 찬성이냐 반대냐 하며 여론 조사를 하는 경우가 있는데
…리서치입니다. 찬성입니까, 반대입니까?
사실 그거 웃기는 얘기야.
뭐야….
대뜸 전화해서….

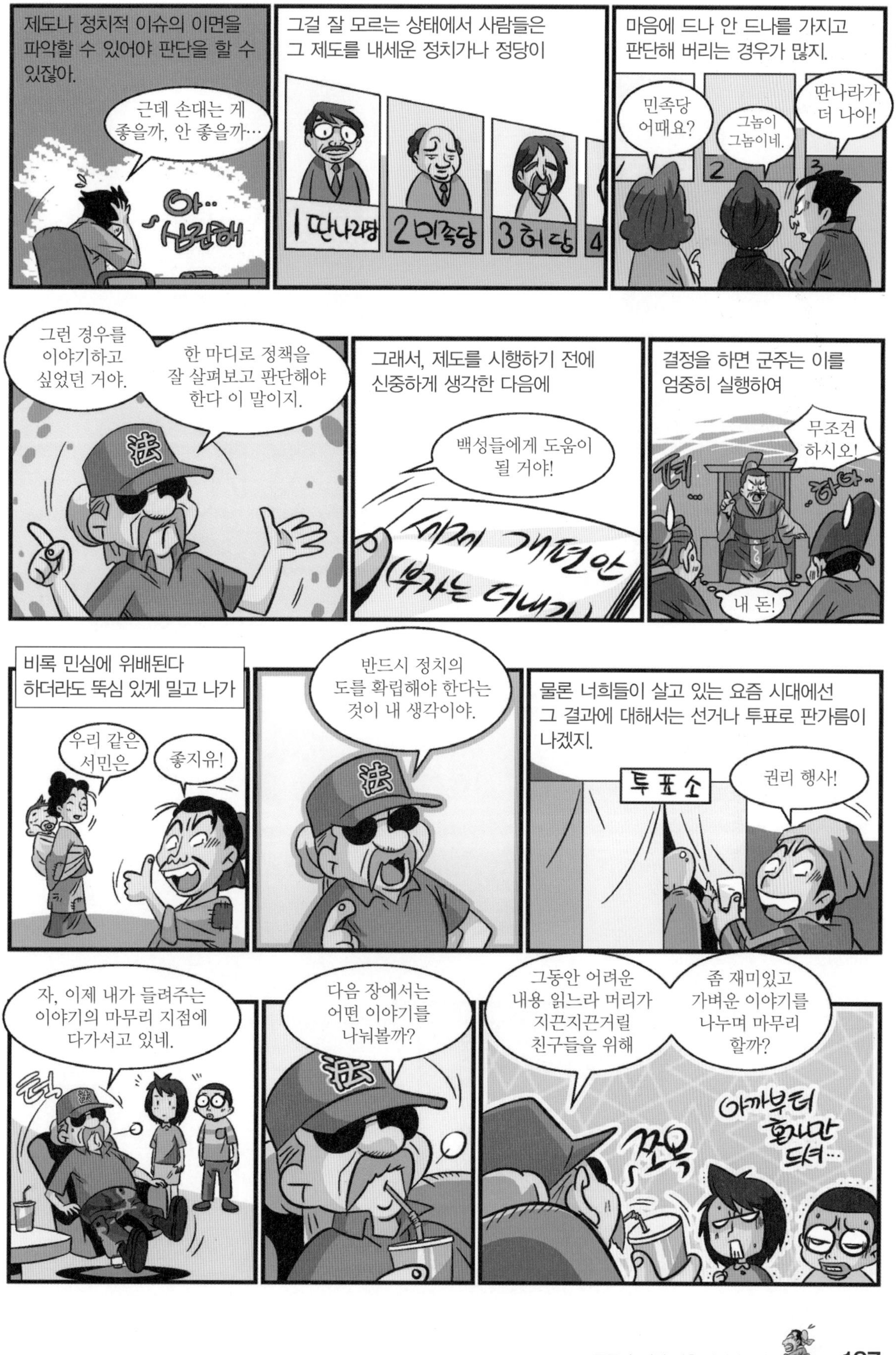
제도나 정치적 이슈의 이면을 파악할 수 있어야 판단을 할 수 있잖아.
근데 손대는 게 좋을까, 안 좋을까…
아… 심란해
그걸 잘 모르는 상태에서 사람들은 그 제도를 내세운 정치가나 정당이
1 딴나라당 2 민족당 3 허당 4
마음에 드나 안 드나를 가지고 판단해 버리는 경우가 많지.
민족당 어때요?
그놈이 그놈이네.
딴나라가 더 나아!
그런 경우를 이야기하고 싶었던 거야.
한 마디로 정책을 잘 살펴보고 판단해야 한다 이 말이지.
그래서, 제도를 시행하기 전에 신중하게 생각한 다음에
백성들에게 도움이 될 거야!
세제 개편안 (부자는 더내기)
결정을 하면 군주는 이를 엄중히 실행하여
무조건 하시오!
내 돈!
비록 민심에 위배된다 하더라도 뚝심 있게 밀고 나가
우리 같은 서민은
좋지유!
반드시 정치의 도를 확립해야 한다는 것이 내 생각이야.
물론 너희들이 살고 있는 요즘 시대에선 그 결과에 대해서는 선거나 투표로 판가름이 나겠지.
투표소
권리 행사!
자, 이제 내가 들려주는 이야기의 마무리 지점에 다가서고 있네.
다음 장에서는 어떤 이야기를 나눠볼까?
그동안 어려운 내용 읽느라 머리가 지끈지끈거릴 친구들을 위해
좀 재미있고 가벼운 이야기를 나누며 마무리 할까?
쪼옥
아까부터 혼자만 드셔…

제12장
한비자가 전해주는 이야기 숲

이번 장은 그간 《한비자》 여행을 꾀부리지 않고 열심히 참여했던 너희들을 칭찬하는 의미에서
재미있는 이야기들을 들려줄 테니 긴장 확 풀고 이야기 숲으로 빠져 보자고.
난 여기저기서 전해져오는 이야기를 무지 많이 모았거든.

그걸 《한비자》에 차곡차곡 담았어.

촤악
한비자

사실 그 이야기들이 재미있기도 하지만,
밤새지 마란 말야!
우히히히

내가 누구니? 그냥 주장만 하고 끝내기 위해 내가 그토록 많은 글을 쓴 게 아니라는 사실,

한비자
실천이 중요해!

너희들도 알지?
나의 목적은 결국 내 주장을 군주들이 채택하여 부국강병을 이루도록 하는 것!
法
그러자면 내 주장에 설득력을 갖춰야 할 거 아니겠어?
근거를 대!
그래서 내 주장을 여러 사람들, 특히 군주들을 설득할 때 써먹을 수 있는 예화들을 하나 둘 모아서 적어 놓았지.
사례
사람들이 흔히 알고 있는 이야기도 있어.
모순에 대해 아는 사람?
저요!
한문 시간이나 국어 시간 같은 때 배운 적이 있는 고사성어도
옛날 창과 방패를 만들어 파는….
그 출처가 내 책 《한비자》인 것이 많다는 사실, 너희들은 몰랐지?
먹을 게 많다니까….
한비자
예를 들어 지난번에도 이야기했던 수주대토(守株待兎), 창과 방패(矛盾) 등등….
부르르
제나라 관중과 습붕이 환공을 따라 봄에 다른 지방을 정벌하기 위해 떠났어.
시간이 지나 겨울이 되어서야 돌아오게 되었는데
휘이잉
길을 잃어버리고 말았지 뭐야.
이런…!
아마 눈이 덮여 있고, 사방이 황량하여 어디가 어딘지 알 수 없었나 봐.
길이 없는디유….

곰곰이 생각한 관중은
이럴 때는 늙은 말의 지혜를 빌리는 것이 좋다.
하며 늙은 말고삐를 풀어 주었어.
푸륵
말이 사람보다 총명한 동물은 아니지만 오랫동안 길을 찾아다닌 말은 특별히 표식을 보지 않아도 길에 익숙해져 있는 법이거든.
왜 김유신 장군이 잠깐 술에 취해 조는 사이
장군을 태운 말이 천관녀의 집으로 가 버렸단 이야기 알지?
말은 장군이 늘 그 집에 들렀으니 으레 그 곳으로 갈 것으로 알고 갔던 거지.
사실 장군은 어머니와 다시는 천관녀의 집에 가지 않겠다고 약속했기에,
잘했죠?
어··이놈의 망아지가··
천관녀 앞에서 자기를 천관녀 집에 데려다 준 말의 목을 베어서
히히잉
자신의 의지를 보였다고 하지.
한다면 한다!
푸륵
내가 뭘….
어이구, 말이 또 딴 길로 샜네.
탁
흠흠, 다시 되돌아와서
길을 잃어버린 관중 일행은 결국 말이 가는 대로 두고 그 뒤를 따라가서 길을 찾을 수 있었어.
길이다!

한번은 산속을 가는데 물이 떨어져 일행이 모두 고통을 겪었지.
없어?
없어!
습붕이 말하기를
개미는 겨울 동안은 양지쪽인 산의 남쪽에 살고 여름에는 그늘인 산 북쪽에 사는데
그 개미집 아래 여덟 자 되는 곳에 물이 있는 법입니다.
8자
습붕의 말대로 개미집을 찾아 그 아래를 파보니
웬 날벼락?!
푹
정말 물이 발견되어 갈증을 면할 수 있었대.
모르는 것이 있을 때 누구에게 선뜻 물어보는 것을 꺼려하는 경우가 많아.
~비자양..
물어? 말어?
혹은 쑥스러워서,
저기야….
아이 부끄
왜…그래?
혹은 자존심이 상해서.
흥이다!
?
?
?
하지만 모르는 것은 부끄러운 게 아니야.
하하하..
그렇다고 자랑은 아니지….
웃기는..
모르는데도 알려고 하지 않는 것을 더 부끄러워 해야지.
물…물론 물어 보려고 그랬지….
진짜루~
그게 배우는 사람의 미덕이야.
法
거 봐, 관중이나 습붕 같은 뛰어난 자들도 모르는 것이 있을 때는
하찮은 말이나 개미까지 스승으로 삼아 가르침을 얻었잖아?
왜 나한테

자 이번에는 재미있는 이야기 둘을 연속해서 들려줄게.
와아
동양 고대의 가장 유명한 의사로 편작이라는 인물이 있었어.
사람의 겉모습만 보고도 그 사람이 무슨 병에 걸렸는지,
치질….
어떤 상태인지까지 척 알아차렸고,
말기!
심지어 죽은 사람도 살린다는 소문이 자자한 의사였지.
쿵쿵
쿵
쿵
바로 그 명의 편작이 채나라 환공을 뵙고 잠시 생각에 잠겼다가 말했어.
……
지금 군주께서는 병에 걸리셨습니다.
증세가 살갗에 머물러 있으니
빨리 치료하시지 않으면 더 악화됩니다.
환공이 황당해 했어.
나는 아픈 데가 없는데?
편작이 물러가자 환공이 말했어.
의사들이란 자기 이익을 위해 건강한 사람을 보고 병이 있느니 어쩌니 해서
치료해주고 공을 세우려고 하는 무리들이다.
10일 후 편작이 다시 환공을 만나 말했어.
군주의 병환은 이제 살갗 속으로 들어 갔습니다.
지금 다스리지 않으면 장차 더 심해질 것입니다.
휙
가라.. 가..

그러자 환공은 아주 불쾌한 기색으로 상대하려고도 하지 않았어.
에잉
그로부터 10일 후 다시 편작이 찾아와서 말했어.
군주의 병환은 이제 위장까지 침범했습니다.
지금 속히 손을 쓰지 않으면 정말 심각해질 것입니다.
꺼지라니깐!
다시 열흘이 지난 후 편작은 환공을 만나러 왔다가
...
만나보지도 않고 멀리서 그 모습을 보고는
발길을 돌려 돌아가 버렸어.
환공이 이상하게 생각하여
편작을 불러라!
그 까닭을 물어보았지.
왜 그냥 돌아간 것이더냐?
편작이 말하기를
병이 살갗에 있을 때에는 따뜻한 물로 찜질하고 약을 바르는 것만으로도 치료할 수 있습니다.
병균이 살갗 속으로 침입했을 때는 침이나 뜸으로 치료할 수 있지요.
또 위장 속으로 들어 갔을 때에는 탕약으로 치료가 가능합니다.
그러나 병이 더 악화되어 골수에 침입해 버리면 그 사람의 목숨은 신의 영역으로 들어가 버리는 것이기에,
살려? 말어?
사람의 힘으로는 어쩔 도리가 없답니다.

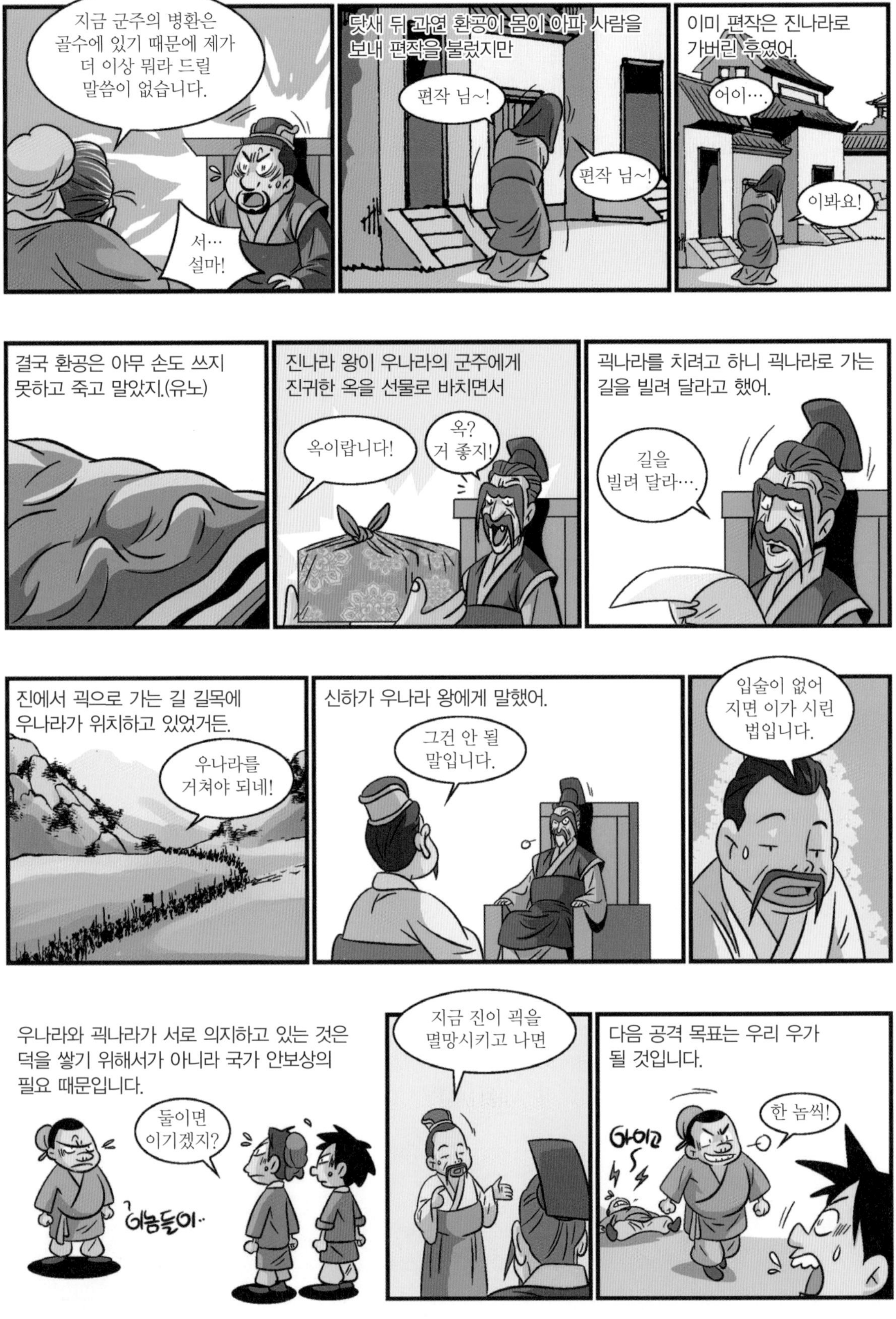
지금 군주의 병환은 골수에 있기 때문에 제가 더 이상 뭐라 드릴 말씀이 없습니다.
서… 설마!
닷새 뒤 과연 환공이 몸이 아파 사람을 보내 편작을 불렀지만
편작 님~!
편작 님~!
이미 편작은 진나라로 가버린 후였어.
어이….
이봐요!
결국 환공은 아무 손도 쓰지 못하고 죽고 말았지.(유노)
진나라 왕이 우나라의 군주에게 진귀한 옥을 선물로 바치면서
옥이랍니다!
옥? 거 좋지!
괵나라를 치려고 하니 괵나라로 가는 길을 빌려 달라고 했어.
길을 빌려 달라….
진에서 괵으로 가는 길 길목에 우나라가 위치하고 있었거든.
우나라를 거쳐야 되네!
신하가 우나라 왕에게 말했어.
그건 안 될 말입니다.
입술이 없어 지면 이가 시린 법입니다.
우나라와 괵나라가 서로 의지하고 있는 것은 덕을 쌓기 위해서가 아니라 국가 안보상의 필요 때문입니다.
둘이면 이기겠지?
이놈들이‥
지금 진이 괵을 멸망시키고 나면
다음 공격 목표는 우리 우가 될 것입니다.
아이고
한 놈씩!

그러나 우의 군주는 신하의 말을 듣지 않고
선물한 사람의
옥을 뇌물로 받고 길을 빌려 주었지.
성의를 무시하면 안되지!
크다….
괵을 멸망시킨 진은 돌아오는 길에 바로 우나라를 멸망시키고 말았어.
위의 이야기에서 나온 고사성어가 바로 순망치한(脣亡齒寒)이야.
입술이 없어지면 이가 시리다!
전 입술이 두꺼워 절대 이 시릴 일은 없겠죠?
크으~!
두 이야기의 교훈이 뭘까?
의사가 환자의 상태가 경미할 때 조치를 취해야 하듯이
가벼운 감기니 충분한 휴식을….
콜록
문제가 커지기 전에 사전에 예방을 해야 한다는 이야기야.
옥 때문… 에… 씨이.
노자도 말했지.
일이 아직 형태를 이루기 전에는 얼마든지 쉽게 처리할 수 있으나
형태가 나타난 뒤에 이를 변경하기는 참으로 어려운 일이다.
어기적
어기적
아… 치질이 또…
너희 나라에도 호미로 막을 걸 가래로 막는다는 속담이 있지.
너희들이 살아 가면서 늘 명심하여 교훈으로 삼아야 할 말이야.
네~!

고사 성어와 관련된 이야기를 하나 더 들려줄게.
토사구팽(兎死狗烹)이라는 말이 있지.
원래는 유방이 초의 항우 대군을 격파하고 한을 건국하는 데 결정적인 기여를 했던 명장 한신이
결국 유방에게 배신당하고 내뱉었던 말이라고 하지.
토사구팽
이구먼…
《한비자》에도 이 고사성어가 등장한다는 사실, 몰랐지?
웬지… 그 눈빛은…!!
잡아 먹을까…?
쩝~
오나라, 월나라의 싸움 이야기에 등장해.
오
월
월나라 왕 구천이 오나라 왕 부차를 공격하여 승리하자,
승리의 깃발을 올려라!
越
부차는 지난 날의 잘못을 빌고 항복했기에 구천은 그를 용서하려고 했어.
성은을 베푸소서
그러자 참모 범려와 대부인 종이 극구 말렸어.
안됩니다.
지난번의 싸움에서 하늘이 우리 월나라를 저들 오나라에게 주었음에도
저들은 이것을 받지 않고 우리를 죽이지도, 멸망시키지도 않고 용서해 주었습니다.

그래서 이번에는 하늘이 오히려 부차를 뒤엎고 오나라를 우리 손에 쥐어준 것이니 두 번 절하고 받아야 합니다.
절대 그냥 용서하고 넘어가서는 안 됩니다.
이런 낌새를 차린 오나라 재상 비가
느낌이 안좋아!
월나라 대부 종에게 편지를 보냈어.
등기 우편이오!
속담에 이르기를, 잡을 토끼가 없어지면 훌륭한 사냥개도 삶아 먹는다고 했으니 적국이 망하면 계책을 내는 신하는 더 이상 필요 없어져서 죽임을 당하게 되는 것입니다. 그러니 오나라를 용서하고 멸망시키지 않도록 하여 월나라의 근심거리가 되도록 버려두어야 대부의 지위가 확고해질 것입니다.
대부 종은 이 글을 보고 한숨을 쉬며 말했어.
후우~
나는 곧 죽게 될 것이다.
설사 오나라를 용서하여 적으로 만들어 내 지위를 굳힌다 해도,
오나라가 우리 월나라를 정벌한다면 결국 멸망하게 될 터이니 내 목숨도 끝장날 게 아닌가?
대부 종은 자신의 일신보다 나라를 생각하는 충신이었거든.
오나라와 월나라는 춘추시대 서로 못 잡아 먹어 안달이었던 최고의 라이벌이었지.
까불면 죽는다!
오월동주라는 이야기도 여기서 나와. 오나라와 월나라 사람들이 한 배를 탔다는 이야기지.
촤아악
흥!
흥!

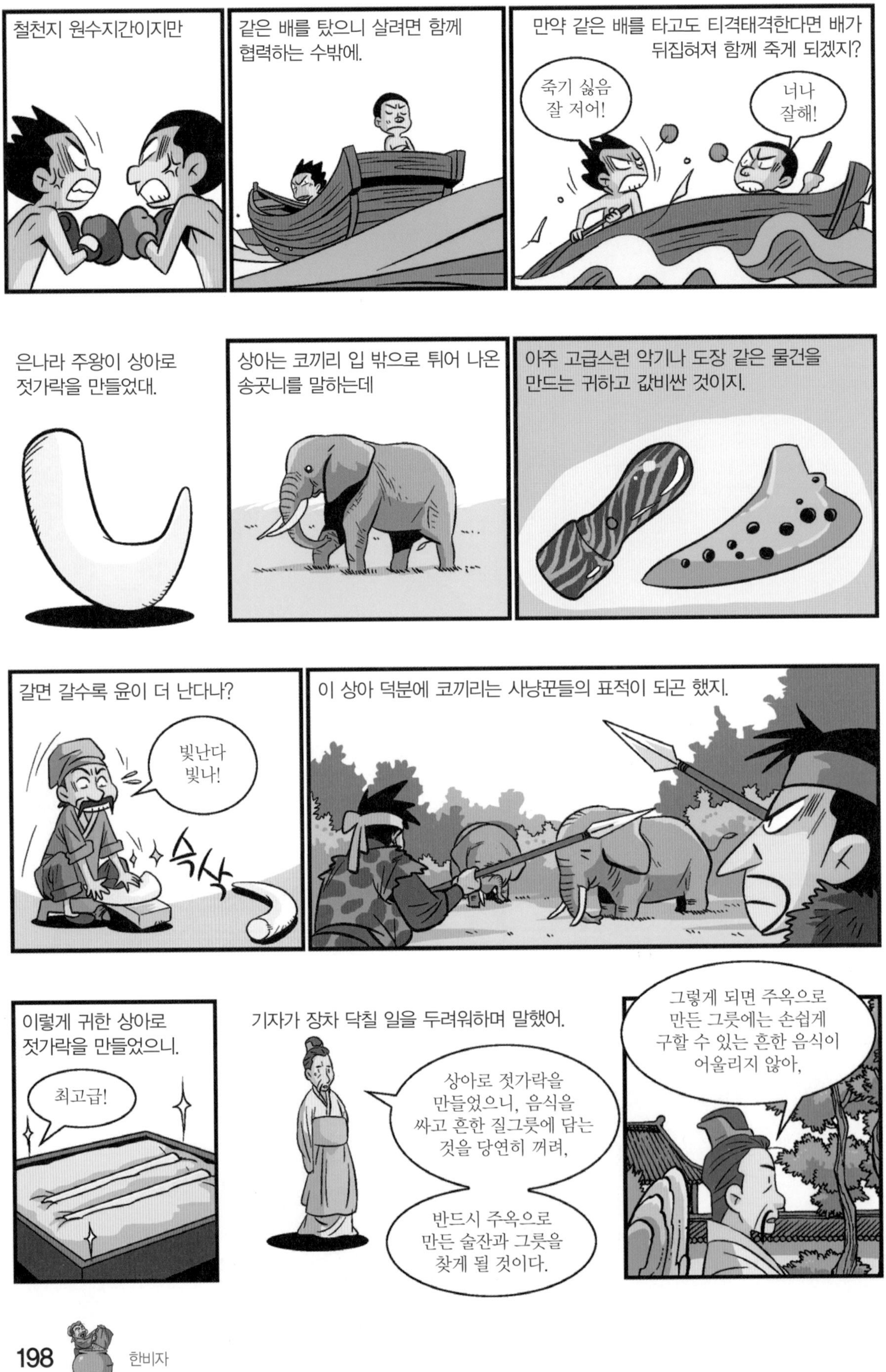
철천지 원수지간이지만
같은 배를 탔으니 살려면 함께 협력하는 수밖에.
만약 같은 배를 타고도 티격태격한다면 배가 뒤집혀져 함께 죽게 되겠지?
죽기 싫음 잘 저어!
너나 잘해!
은나라 주왕이 상아로 젓가락을 만들었대.
상아는 코끼리 입 밖으로 튀어 나온 송곳니를 말하는데
아주 고급스런 악기나 도장 같은 물건을 만드는 귀하고 값비싼 것이지.
갈면 갈수록 윤이 더 난다나?
빛난다 빛나!
슥삭
이 상아 덕분에 코끼리는 사냥꾼들의 표적이 되곤 했지.
이렇게 귀한 상아로 젓가락을 만들었으니.
최고급!
기자가 장차 닥칠 일을 두려워하며 말했어.
상아로 젓가락을 만들었으니, 음식을 싸고 흔한 질그릇에 담는 것을 당연히 꺼려,
반드시 주옥으로 만든 술잔과 그릇을 찾게 될 것이다.
그렇게 되면 주옥으로 만든 그릇에는 손쉽게 구할 수 있는 흔한 음식이 어울리지 않아,

곰 발바닥이나 코끼리 고기, 표범 고기를 구하게 될 것이다.
코끼리
곰
표범
또 음식이 그와 같이 사치스러우면 아무래도 풀로 엮은 초가집 따위로는 안 될 것이며,
반드시 귀한 비단옷을 입고 아주 크고 화려한 좋은 집에서 살려고 할 것이다.
이것을 다 충족시키려면 온 나라의 재물을 다 긁어모아도 모자랄 텐데.
쥐어 짜야!
나는 그 끝이 훤히 보이기 때문에 그 시작을 걱정하는 것이다.
에효…
상아로 만든 젓가락을 보는 순간 장차 나라가 망할 것을 예측하다니
역시 현명한 이는 아주 작은 것을 보고도
국어
장차 일이 어떻게 돌아갈 것인지 알 수 있고,
엄마가 알면….
그 결과까지 짐작할 수 있었나 봐.
죽음이다!
버리자
와작
기자의 예측대로 은나라 주왕은 사치를 일삼고 매일 밤낮 잔치를 베풀고,
하하
마셔!
놀자!
날짜가 가는 것도 모를 정도로 환락에 빠져 들었지.
크핫하하…

며칠이나 지났는지 주위에 물어보았지만
아아… 머리야….
며칠간 마신 거냐?
다 같이 취해 있었던 터라 아무도 모르고 있더래.
글쎄요….
저희도 취해서….
그래서 기자에게 물어보았지. 그도 술에 취해 잊어버렸다고 말했어.
너도?!
그렇게 현명한 기자도 만사 포기하고 술에 취해 있었냐고?
꼬윽
맛…쥬우우타!
천만에. 기자는 날짜를 모른다고 얘기해놓고
자신의 시종에게 심중을 털어 놓았지.
천하의 주인이 환락에 빠져 온 나라가 이를 따르고,
주위 사람들이 그 날짜조차 잊고 있으니 장차 이 나라가 어찌 될지 걱정이구나.
또 모든 사람이 날짜를 모르고 있는데 나 홀로 이것을 알고 있다고 한다면
반드시 사람들의 미움을 받아 내 목숨이 위태로워질 것이다.
그 뒤 주왕은 어떻게 되었게?
法
결국 주나라 무왕의 공격을 받아 나라를 빼앗기고
총애하던 여인과 불 속으로 뛰어들어 비극적으로 삶을 마무리하게 돼.

자, 난 이제 《한비자》 안내를 끝내고 내가 살던 세상으로 다시 돌아갈까 해.
한비 선생님,
하나만 더 들려 주세요.
공연에서도 앙코르를 받는데 하나만 더 해주세요.
맞아요. 한 번 더 한 번 더!
하나 더! 하나 더!
아유, 귀청 떨어지겠다.
그럼 딱 하나만 더해 준다.
더 조르기 없기!
네!
이제 이곳에 더 머물 수 없어.
정해진 시간이 다 되어가.
아쉬워요!
빨리 내 시대로 돌아가야지.
나도 집에 ..가야지
무슨 이야기를 들려 줄까?
옳지. 노나라 재상이었던 공의휴라는 사람 이야기를 해 줘야겠구나.
공의휴는 생선 요리라면 자다가도 벌떡 일어날 정도로 좋아했대.
그거 맛있겠다.
그치?
그치?
나도 좋아하는뎅~
이 소문이 온 나라에 쫙 퍼졌는데 나라의 재상씩이나 되는 높은 지위에 있는 사람이니만큼
재상이 생선광이래!
그것도 엄청!
그렇다면…?
생선을 구해서 그에게 바치려는 사람이 줄을 섰겠지?
옥돔 세트3
출세 하자!

그런데 공의휴는 그것을 절대로 받지 않았대.
돌아들 가시오.
아~ 왜!!
그의 제자들이 그에게 물었어.
생선 요리를 그렇게 좋아하시면서 왜 생선을 받지 않으십니까?
내가 생선 요리를 너무나 좋아하기 때문에 생선을 받지 않는 것이다.
그게 무슨…?
내가 그 생선을 받는다면 반드시 그 사람에게 고개를 숙이고 감사해야 하고
고개를 숙이게 되면 결국 법을 어기게 된다.
법을 어기게 되면 재상의 자리를 잃게 될 것이 아니겠느냐?
그렇게 되면 내가 그토록 좋아하는 생선을 실컷 먹을 수 없게 되지 않겠느냐.
하지만 내가 지금 물고기를 받지 않는다면 재상의 자리를 계속 유지할 수 있을 것이고
그러면 언제든 생선을 실컷 먹을 수 있게 될 것이니 그게 더 이익이지.
아~!
한 마디로 작은 이익을 꾀하려다 큰 이익을 잃지 않게 조심해야 한다는 거야.
황금알 내놔!
자칫하면 소탐대실(小貪大失) 할 수 있다는 거지.
이젠 끝이다, 우씨!
무엇을 얻으려고 할 때 남에게 의지하여 거저 얻으려 하지 말고
보호비 내야지.
자기 자신의 힘으로 얻을 것이며,
일해라, 일!
우리 형!
예…예!
아무리 남이 나를 위한다고 하더라도 내가 나 자신을 위하는 것보다는 못하는 법이지.
자길 너무 사랑해!
나도 날 사랑해!

너희들도 요행이나 남의 도움 바라지 말고 스스로의 힘으로 목표한 것을 이루기 위해 노력하는 것이 최선의 길이라는 거,
슈욱..
명심하기!
네!
사실 시간이 좀 더 있으면 해 주고 싶은 이야기가 너무 많은데
알다시피 이제는 시간이 없네.
너희들에게 이야기해 준 것이 내 책을 이해하는 데 좀 도움이 되었나 모르겠네.
혹시 잘 이해가 되지 않은 친구는 다시 한 번 꼼꼼히 읽어 봐.
도서관이나 서점에 한글로 번역된 책이 많이 나와 있으니 한번 찬찬히 읽어 보든지.
나중에 어른이 되어 열심히 공부해가며 한문으로 되어 있는 원서를 읽어도 좋지.
훌쩍..
선생님
어쨌거나 난 이제 여기에서의 할 일을 끝낸 것 같으니 이제 돌아가 봐야겠어.
비록 쉽지 않겠지만 내 조국 한을 구할 방도를 다시 한 번 찾아봐야지.
혹 아니? 그렇게 되어 역사가 다시 쓰여질지.
즐거웠어요 한비 선생님!
콰아아아
안녕!

《한비자》와 함께하는 중국 고대사 공부

'국가는 공표한 바를 반드시 지킨다'를 보여준 상앙

▲ 상앙

상앙은 위나라 출신으로 본명은 공손앙이었습니다. 나중에 왕으로부터 '상'이라는 땅을 하사받았기에 상앙, 또는 상군이라 불렸지요. 일찍이 그의 인물됨을 알아본 위의 재상 공손좌는 위 혜왕에게 적극적으로 그를 추천했습니다. 그러나 혜왕은 별로 그 말을 귀담아듣지 않았습니다. 자신을 적극적으로 후원해주던 공손좌가 죽자 공손앙은 미련을 훌훌 털어버리고 자신의 진가를 알아줄 군주를 찾아 위나라 땅을 떠났습니다. 그의 발길이 머문 곳은 진나라였습니다. 그때 그는 막 20대 중반의 젊고 패기에 찬 젊은이였습니다.

진 효공을 만난 상앙은 도덕에 의한 정치, 즉 왕도정치가 필요하다고 역설했지요. 당시 공자와 맹자의 유가가 가장 뜨는 사상이었으니 효공에게 잘 보이고 싶었던 상앙이 공자, 맹자를 흉내낸 거였지요. 열변을 토하는 상앙 앞에 앉아 있던 효공은 들은 척 만 척 꾸벅꾸벅 졸기까지 했답니다. 완전한 작전 실패였던 것입니다. 몇 차례의 만남으로 상앙은 효공의 성향을 확실히 알게 되었지요. 기회를 엿보던 상앙, 다시 한 번 효공 앞에 서게 되었습니다. 그제서야 상앙은 그동안 갈고 닦은, 부국강병富國强兵을 위한 자신의 주장을 맘껏 펼쳤습니다.

상앙의 이야기에 완전히 감동한 효공은 얘기를 나누면서 상앙의 이야기에 심취해 몸이 점점 앞으로 기울어져 방석 밖으로 무릎이 나오는 것도 몰랐답니다. 며칠을 얘기하고도 싫증을 내지 않았다고 해요.

효공은 당장 상앙에게 아주 중요한 직책을 맡겼습니다. 상앙은 물 만난 고기처럼 자신의 뜻을 맘껏 펼치게 됩니다.

상앙은 법을 만들어 시행하기 전에, 백성들에게 '국가는 절대 거짓말 하지 않는다. 국가는 공표한 바를 반드시 지킨다'는 것을 보여주려고 이런 일을 꾸몄습니다.

먼저 높이가 6m쯤 되는 나무를 진의 수도인 함양의 남쪽 성문에 걸어두고, 그 옆에 방을 붙였어요.

〈누구든지 이 나무를 북쪽 문에다 옮기면 상금으로 금 열 돈을 주겠다.〉

금을 열 돈 씩이나 주다니요? 그토록 쉬운 일을 했다고? "무슨 그런 거짓말을…… 사람 놀리는 것도 아니고…… 시간이 남아 돌아가냐? 그런 쓸데없는 짓 하게?"

백성들은 아무도 그 말을 믿지 않았습니다. 당연히 그 나무를 옮기는 이는 아무도 없었지요. 상앙은 다시 상금을 금 50돈으로 올렸습니다. 여전히 사람들은 그 말을 믿지 않았습니다. 그런데 그 중 한 사람이 나섰습니다.

"밑져야 본전이지. 땀은 좀 나겠지만, 혹시 알아? 진짜로 줄지?"

사람들은 나무를 낑낑거리며

옮기는 사람을 비웃었습니다.

"저런 멍청이…… 참, 할 일도 없다."

드디어 북문으로 나무가 옮겨졌습니다. 상앙은 많은 사람들이 지켜보는 앞에서 나무를 옮긴 이에게 금 50돈을 상으로 주었습니다. 사람들은 모두 깜짝 놀랐지요.

"이럴 수가! 정말이잖아!" "설마 했더니 진짜잖아?"

일은 사람들의 입에서 입으로 전해져 진나라 사람들은 '나라에서는 절대로 거짓말은 안 한다. 한다면 반드시 한다.' 는 사실을 모두 알게 되었습니다. 이제 '나라가 정한 법률이 아무리 엄하더라도 반드시 지켜야하겠구나, 지키지 않으면 가혹한 처벌을 정말로 받게 되겠구나.' 하는 생각도 더불어 가지게 되었지요.

진(秦)나라의 도약

▲ 진 효공

진의 효공에 의해 등용된 상앙은 두 차례의 대대적인 개혁(법률을 고친다는 의미로 변법이라고도 부름)을 통해 진을 일약 전국 시대의 가장 강력한 나라 가운데 하나로 만들어냅니다. 원래 진은 중국 변방에 위치한 별 볼일 없는 약소국이었을 뿐이었지요.

원래 있었던 법을 바꾸는 것에 대한 반대도 만만치 않았습니다. 그러나 상앙은 물러서지 않았습니다.

"탕왕과 무왕은 옛 법을 따르지 않았지만 제왕의 도를 이루었고, 걸왕과 주왕은 옛 법을 바꾸지 않았지만 멸망했습니다."

효공은 상앙의 손을 들어주었습니다.

새로운 법이 만들어졌습니다. 그중의 몇 가지를 살펴보면,

- 신분의 높고 낮음을 막론하고 전쟁에서 공을 세운 자는 그 정도에 따라 작위(爵位-벼슬과 직위)를 내리며, 명문 집안의 귀족도 전쟁에서 공이 없는 자는 그 신분을 박탈한다. 심지어 왕족일지라도 공을 세우지 못하면 특권을 누릴 수 없다.

귀족으로 태어나기만 하면 대대로 특혜를 누리던 이들 발등에 불이 떨어진 것입니다. 반대로 아무리 비천한 신분일지라도 전쟁에서 공을 세우기만 하면 귀족이 될

수도 있다는 겁니다. 한마디로 종래의 신분제를 능력 중심의 신분제로 바꿔나가겠다는 것이었습니다.

–아들이나 형제를 성인이 되어도 분가시키지 않으면 두 배의 세금을 걷는다.

소가족 제도를 적극 유도한 것입니다. 개인을 단위로 군역이나 기타 세금을 납부하는 제도를 확립하기 위한 것이지요.

–열심히 밭을 갈고 길쌈을 하는 이에게는 세금을 면제해 주지만 게을러서 가난한 자는 체포하여 관청의 노비로 삼는다.

이제 무조건 열심히 일해야 했습니다. 노비가 되어 뼈빠지게 일하면서도 천대받지 않으려면 말입니다. 덕분에 진나라는 점점 풍족해졌습니다. 계속되는 전쟁도 너끈히 치를 경제력을 갖추게 되었습니다.

귀족의 힘은 점점 약화되었고 왕권은 더욱 강력해졌습니다. 강력한 중앙 집권체제가 갖추어졌습니다.

▲ 진나라는 상앙의 법치를 받아들여 강력한 군대와 부유한 국가를 이루었다.

물론 개혁 조치에 대한 반발도 만만찮았습니다. 전쟁에서 공을 세워야만 지위를 유지할 수 있는 귀족들도, 아들을 분가시킬 형편이 못되었던 가난한 백성들도 불만을 터뜨렸습니다.

그런데 모든 사람이 깜짝 놀랄 만한 일이 생겼습니다. 한번은 태자가 사형 판결을 받은 사람 하나를 숨겨 주었다 발각이 됐습니다. 범인을 숨긴 자는 범인과 같이 처리한다는 법이 있어서 태자는 사형을 면하기 어려운 상황이었습니다. 태자는 바로 다음 왕위를 계승할 사람. 고민에 빠진 상앙은 효공과 상의했습니다.

결론은 태자의 시종장(侍從長-곁에서 모시고 심부름하는 사람들의 우두머리)인 공자公子 건虔에게 태자를 잘못 모셨다는 죄를 물어 코를 베는 형벌을 내리고, 태자 교육을 담당하고 있던 공손가公孫賈는 문신文身형으로 다스렸습니다. 문신형은 바늘로 얼굴과 몸을 찔러 먹물로 죄명을 새겨넣는 형벌이었습니다. 귀족이 그런 형을 당한 예가 없었는데 상앙이 이를 깨뜨린 것이지요. 한마디로 법은 서민만이 아니라 귀족도 예외 없이 엄중하다는 것을 만천하에 공개한 것입니다.

이 사건 후 진나라 백성들은 법의 무서움을 더욱 절실히 느끼고 법을 어기지 않기 위해 노력했습니다. 새 법령이 시행된 지 10년이 지나자, 진나라에는 좀도둑이나 산적도 없어졌고, 백성들은 길에 떨어진 물건조차 줍지 않았으며 집안은 풍족하고 모두가 너그러운 마음을 갖게 되었습니다. 병사들은 전쟁에서는 죽기를 각오하고 공을 세우려 했고, 덕분에 진나라 군사들은 패배하는 법이 없었습니다. 변두리 약소국 진은 이제 전국 7웅 중에서도 가장 두드러지는 나라가 되었습니다.

성선설과 성악설

'인간이 본래 지닌 성품은 선할까? 악할까?' 누구나 한번쯤은 생각해본 주제일 것입니다. 본래 인간은 선한 성품을 타고 났다는 성선설은 맹자의 학설이었습니다. 이에 비해 본래 인간은 악하고 이기적이라는 성악설은 순자의 학설이었지요. 두 분의 주장을 비교해서 한번 살펴볼까요?

▲ 맹자

맹자는 인간은 태어나면서 착한 마음, 즉 양심을 지니고 있다고 주장했습니다. 맹자는 우물에 빠지려는 아이를 보았을 때 대부분의 사람들이 보인 반응을 예로 들어서 설명했습니다. 누구든 길을 가다가 우물에 빠지려는 아이를 보면 깜짝 놀라 급히 뛰어가 아이를 구한다는 거지요. 사실, 아무리 나쁜 사람도 그 상황에서는 당연히 그렇게 하겠지요. 나중에 애를 구해준 공치사를 하려는 것도 아니고, 칭찬을 듣기 위해서도 아니고, 혹 아이를 구하지 못했다는 비난이 두려워서도 아니라는 겁니다. 아이가 우물에 빠지려는 모습을 본 순간 생겼던 순수한 마음, 이 마음을 맹자는 '차마 참지 못하는 마음不忍人之心'이라고 부릅니다. 이런 마음은 누구에게나 다 있는 것이라고 말합니다. 이런 마음은 누가 시키지 않아도 어린 아이가 자기 부모를 따르는 것처럼, 배우거나 곰곰이 따져봐야 할 수 있는 것도 아닌, 태어나면서부터 저절로 갖춘 마음이라는 거죠. 바로 인간의 본성은 본래부터 선하다는 겁니다.

이에 비해 순자는 '인간의 성품은 본래 악하다. 선한 것은 인위일 뿐' 이라고 했습니다. 인간의 선한 면은 선천적인 것이 아니라 후천적이라는 것입니다. '사람의 타고난 본성은 누구나 마음으로 이익을 좋아하고 손해를 싫어하며, 예쁜 용모와 멋진 목소리를 좋아한다. 배고프면 배불리 먹고 싶고, 추우면 따뜻하게 입고 싶고, 고단하면 쉬고 싶은 것이 본성이다.' 는 것입니다.

▲순자

사실, 아직 어린 아이는 주위의 다른 이들이 배고프건 말건, 나눠먹을 줄 모르고 자기 입으로 먼저 가져가며, 좋은 물건이 있으면 자기 것이 아닌데도 힘으로 뺏으려 하지요. 한마디로 순자는 인간이 태어나면서 가지고 있는 감성적인 욕망에 주목한 거죠.

순자는 사회가 혼란하고 어지러운 이유는 인간이 있는 그대로의 악한 본성과 자신의 욕구를 따르기 때문이라고 설명했습니다.

그러면 맹자는 '왜 세상에는 못된 사람들도 너무나 많고 사악한 일들이 그렇게 많이 일어날까?' 하는 문제를 어떻게 설명했을까요? 그는 나쁜 행동 자체는 사람이 하는 것이지만, 그 근본적인 원인은 사람에게 있는 것이 아니라 외부 환경에 있다고 보았습니다.

원래 나무가 빽빽이 들어찬 산이 있었는데, 나무꾼들이 매일 산에 올라가 나무를 베어 내고, 소 먹이는 아이들이 소에게 풀을 뜯어 먹여서 헐벗게 되었다고 합시다. 그런데 사람들은 헐벗은 산의 모습을 보면서, '저 산은 원래 나무가 없는 산' 이라고 생각합니다. 하지만 그건 결코 그 산의 본모습은 아니라는 거죠. 사람도 마찬가지라는 겁니다. 사람의 본성도 사람들이 산에서 매일 나무를 잘라내는 것처럼, 착한 마음을 자라지 못하게 하는 나쁜 환경 때문에 악한 짓을 하는 것이지, 그것이 본래 모습은 아니라는 거죠. 그럼 원래 악했건, 원래는 착했지만 나쁜 환경 때문에 악한 짓을 하건, 혼탁한 사회, 악해진 인간의 문제를 어떻게 해결해야 할까요? 성선설과 성악설로 대비되지만 이에 대한 맹자와 순자의 주장은 신기하게도 일치하고 있습니다. "올바른 교육이 필요하다."

맹자는 어지러운 세상 속에서 타고난 인간 본성인 선의 실마리를 잃어버리지 않고 힘껏 키우기 위해서는 올바른 교육이 필요하다고 봤지요.

이에 비해 순자는 비록 악한 본성을 타고 났지만 사람의 후천적인 노력, 인위적인 노력에 의해 얼마든지 선하게 바뀔 수 있다고 보았습니다.

"사람의 악한 본성을 그대로 내버려두면 양보할 줄 모르고 나면서부터 미워하고 시기하며 남을 해치고 상하게 할 줄만 안다. 예의의 법도를 가르치고 스승의 교화가 있어야 남에게 사양할 줄도 알고 사회의 질서를 지킬 줄도 알게 되어 세상의 평화가 유지될 수 있다. 구부러진 나무는 곧은 먹을 대고 불을 쬐어 바로잡아야 곧게 만들 수 있고, 무뎌진 칼은 반시 숫돌에 갈아야 날이 제대로 서고, 사람도 반드시 스승이 있어야 바로 잡히고 예의를 얻어야 제대로 다스려질 것이다."

순자는 배고프면 먹고 싶어하고 이익이 눈앞에 있으면 탐하는 인간의 본성이 배고파도 먼저 먹지 않고 어른에게 양보할 줄 알며, 이익을 눈 앞에 두고도 형제간에 다투지 않고 양보할 줄 아는 사람이 되는 것은 오로지 교육의 힘이라고 보았습니다. 그래서 순자도 또 올바른 교육을 강조했지요.

인간의 성정이 본질적으로 선할까 악할까의 문제는 아직까지도 논쟁의 주제로 등장하곤 하지요, 정통 유가에서는 인간이 본질적으로 선하다는 맹자의 성선설이 주로 받아들여졌고, 인간의 본성이 본질적으로 악하다는 순자의 성악설은 주로 법가 사상가들에게 받아들여졌습니다.

법

진(秦) 시황제(始皇帝)의 통일정책

▲ 진시황

중국이 China 라는 이름으로 불리게 된 기원은 바로 진(秦, Chin)나라에서 찾을 수 있습니다. 드넓은 중국 땅에서 진이 중국을 통일하기 이전 500년이 넘는 세월 동안 여러 나라로 나뉘어져 치열한 대결과 전쟁을 벌였고, 그 이전에도 하나의 나라라는 생각을 하지 못했지요. 그래서 진나라를 중국 최초의 통일 제국이라고 합니다. 진나라 이후부터 중국이 하나의 나라인 것은 당연한 것이었고, 여러 나라로 나누어져 전쟁을 벌이는 시기는 언젠가는 통일되어야 할 분열기로 인식되었던 것입니다.

최초로 중국을 하나로 만들었던 진의 황제, 그가 바로 진 시황제입니다. 그는 이전의 왕이란 칭호 대신 황제라는 칭호를 처음으로 썼기에 그는 시황제始皇帝로 불립니다. 중국의 전설상의 어진 임금, 세 명의 황三皇과 다섯 명의 제五帝의 덕을 함께 갖췄다는 의미였지요.

그는 13살의 어린 나이에 진나라 왕에 오릅니다. 기원전 238년 친정을 시작한 그는 왕권을 위협하는 세력을 제거하고 이사 등을 등용하여 강력한 부국 강병책을 추진합니다. 때는 전국시대 말기, 7개의 강력한 나라들(전국 7웅)이 치열한 각축전을 벌이던 시기였습니다.

법가 사상을 받아들여 일사분란한 국가 체계를 만든 그는 기원전 230년경부터 천하 통일을 위한 전쟁에 나섭니다. 그의 작전은 '먼 나라와 교류를 맺고 가까운 나라를 공격하라' 였습니다. 전쟁에 나선 지 10여 년, 기원전 221년, 드디어 중국은 하나의 나라로 탄생했습니다.

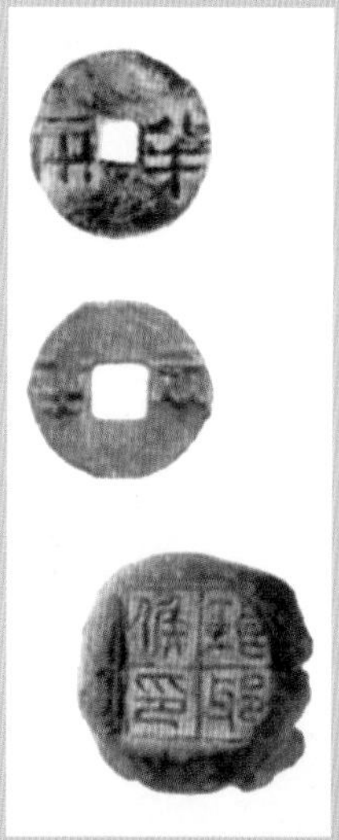
▲ 반량전

중국의 땅은 하나로 통일되었지만 아직 하나의 통치체계를 갖춘 것은 아니었습니다. 시황제는 강력한 중앙집권체제의 확립을 위해 여러 가지 정책을 폈습니다. 전국을 36개의 군郡으로 나누고 그 아래 현縣을 두고, 군현에 관리를 파견하여 다스렸습니다. 군현제郡縣制라고 불리는 통치제도였지요. 제후에게 땅을 주고 나면 그 땅에서 일어난 일에 대해 간섭하지 않았던 봉건제도와는 완전히 달랐습니다. 관리는 황제의 명에 따라 그 지역을 통치했기 때문에 황제의 지배력은 군현에까지 직접 미쳤던 것입니다.

또 문자를 하나로 통일했습니다. 이전에는 나라마다 글자가 달라 글을 통한 의사 소통이 어려웠지요. 이제 드넓은 중국에서 하나의 문자를 써서 글로 의사 소통을 마음대로 할 수 있게 되었습니다. 또 도량형도 통일했습니다. 한 되니 한 말이니 하는 단위가 지역마다 다르기 때문에 물건을 사고 파는 데 어려움이 많았지요. 또 나라마다 달랐던 화폐도 진의 화폐로 통일되었습니다.

심지어 사상도 통일하려 했습니다. 진나라의 기록이 아닌 역사서, 의약, 기술서만 빼고 모두 불태워버리고, 진의 정치를 비판하는 유학

▲ 분서갱유

자 수백 명을 생매장했지요. 분서갱유라고 불리어지는 이 조치로 비판적인 목소리는 숨을 죽여야 했습니다.

시황제의 통일 정책과 관련하여 또 하나 빼놓을 수 없는 것이 바로 만리장성이지요. 사실, 중국의 문화유산 하면 떠오르는 것이 바로 만리장성입니다. 지금 남아 있는 만리장성은 대부분 명나라 때에 만들어진 것입니다만, 원래의 만리장성은 시황제가 북방의 흉

노족의 침입을 막기 위해 만든 것이지요. 흉노족은 중국 북방의 유목민족으로, 기가 막히게 말을 잘 타서 동에 번쩍, 서에 번쩍 하는 것으로 유명했던 민족이었지요. 천하의 시황제도 흉노의 위협을 골치 아파해서 이를 막기 위해 대공사를 시작했던 겁니다. 사실, 만리장성을 시황제가 모두 건설한 것은 아닙니다. 전국시대 각국은 자기 나라를 방어하기 위해 외곽에 장성을 건설했지요. 진이 전국시대를 통일 한 후 나라와 나라 사이의 성벽은 필요가 없으니 허물어버렸지요. 그리고 북쪽 국경지대에 있던 성벽들은 그대로 두고, 끊어진 성벽을 잇고 연결했습니다. 이렇게 해서 만들어진 1만여 리에 이르는 길이의 대 장성이 바로 만리장성입니다. 비록 원래 있었던 성벽을 잇고 좀 더 만들고 했지만, 만리장성은 엄청난 대역사였고, 백성들은 큰 고통을 당해야 했습니다.

▲ 만리장성

이후 만리장성은 중국과 유목민족을 구분하는 경계선이 되었습니다. 만리장성으로 인해 그 이남 땅은 온전히 중국의 땅이 되었고, 오랜 세월동안에도 그 영역이 별로 변하지 않았습니다. 그래서 중국은 진(Chin)의 이름을 딴 China로 불리고 있습니다.

요 임금과 순 임금

해 뜨면 들에 가서 일을 하고
해가 지면 집에 돌아와서 쉰다네
우물 파서 물을 마시고
밭을 갈아 배를 채우니
내가 살아가는 데 임금의 힘은
있으나 마나일세

帝堯
▲요 임금

요 임금 시절 백성들 사이에서 불려졌다는 노래입니다. 요 임금과 순 임금은 중국의 전설시대 5제에 속하는 분들입니다. 요 임금과 순 임금은 가장 이상적인 임금의 모습으로 그려지고 있으며 요순 시대는 지금까지도 가장 태평성대의 대명사로 여겨집니다.

사마천은 그의 책 《사기》에서 요 임금을 "어질기가 하늘과 같았고, 지혜로움은 신과 같았다. 백성들은 그를 태양처럼 따랐고, 구름처럼 바라보았다. 부귀했지만 교만하지 않아 사람을 깔보는 일이 없었다."고 기록하고 있습니다.

그는 늘 검소하고 소박하게 살았습니다. 장식하지 않는 소박한 초가집에서 거친 음식으로 끼니를 때웠고 허름한 옷으로 추위를 견뎠습니다. 자신의 나라에서 한사람이라도 굶는 이가 있거나 죄를 짓는 사람이 있으면 나라를 잘 다스리지 못한 자신의 탓이라고 여겼지요. 백성들 사이에서 '임금이 있으나 마나한' 태평성대를 노래하는 소리를 듣고 나서야 비로소 요 임금은 만족했다고 합니다.

요 임금이 나이가 들어 새로 임금의 자리에 오를 만한 인물을 물색했습니다. 자신의 아들이 아니라, 두루 살펴보아 덕과 능력을 갖춘 사람을 뽑아 임금 자리를 물려주려고 했지요. 이런 방식을 선양禪讓이라고 합니다. 본문에 나오는 허유와 소부 이야기는 이때의 일화입니다.

▲순 임금

허유에게 거절당한 요 임금이 다시 찾은 차기 임금 후보는 순이었습니다. 요 임금은 순의 인물됨을 더욱 찬찬히 살펴보기 시작했습니다. 순에게는 새어머니와 이복동생이 있었는데 그 둘이 짜고 순을 죽이려 했습니다. 지붕을 고치기 위해 사다리를 타고 지붕 위에 올라간 순을 죽이려고 사다리를 치워버리고 불을 질러버렸습니다. 순은 삿갓을 펴서 나는 것처럼 내려와 목숨을 건졌습니다. 또 한번은 깊은 우물을 파고 있는 순의 머리 위로 흙을 덮어 파묻어 죽이려고 하기도 했습니다. 이미 예상했던 순은 미리 파 둔 옆 통로로 빠져나와 또 목숨을 건졌습니다. 이런 새어머니와 이복동생의 악행에도 순은 한결같은 정성으로 새어머니를 모셨고 동생을 돌봤습니다. 요 임금은 그에게 여러 직책을 맡겨 그를 시험했습니다. 결과는 합격이었습니다. 순은 요 임금의 뒤를 이어 임금 자리에 올랐습니다.

순 임금에게 주어진 최대의 과제는 걸핏하면 넘쳐버리는 황하였습니다. 요 임금조차 황하의 홍수 문제는 골칫거리였습니다. 황하의 홍수 문제를 해결하기 위해 적임자를 찾던 순 임금이 찾아낸 인물이 우였습니다. 우는 뛰어난 능력과 몸을 아끼지 않은 노력으로 홍수 문제를 깨끗이 해결했습니다. 10년이 넘는 동안 치수문제를 해결하기 위해 일하느라 허벅지의 살이 쭉 빠지고 정강이 털도 빠졌으며, 등은 낙타처럼 굽어 절룩거리며 걸을 정도였다고 합니다. 순 임금이 골칫거리 치수 문제를 완전히 해결한 우를 차기 임금으로 점찍은 것은 당연한 일이었습니다.

춘추 시대의 두 라이벌, 오와 월

▲ 구천과 부차의 검으로 추정되는 춘추시대의 청동검.

본문 마지막 장에 철천지원수라도 공통의 목적을 위해 부득이 협력을 하지 않을 수 없는 상태를 오월동주 吳越同舟라고 표현한 것이 나옵니다. 원래 이 말은 춘추시대 말기의 사람인 손무가 지은 《손자병법》 '구지편' 에 나오는 이야기입니다. 손자는 싸움에서 병사들이 일치단결하여 싸우면 사는 길이 열리고 못당할 것이 없다고 역설했습니다. 상산에 사는 거대한 뱀을 예로 들며, 이 뱀은 머리를 치면 꼬리로 달려들고, 꼬리를 치면 머리로 공격하며, 허리를 치면 머리와 꼬리가 함께 달려든다고 야야기했습니다. 싸움도 이와 같아서 군사들도 이 뱀처럼 머리와 꼬리가 협력해서 싸우면 무조건 이긴다고 했지요. 그것이 과연 가능한 일일까 사람들이 의심했습니다. 그러자 손자가 말했습니다. "오나라와 월나라 사람들은 서로를 미워한다. 그러나 그들이 같은 배를 타고 가다가 큰 바람을 만나게 되면 서로 돕기를 왼손과 오른손이 협력하듯이 한다." 심지어 원수지간도 공동의 목적을 위해서는 한 몸처럼 협력하는 것을 이르는 말이었지요. 오월동주는 여기에서 나온 말입니다.

사실 오와 월은 춘추시대의 강력한 나라였던 춘추 5패 중의 하나로 서로 으르렁

대는 라이벌이었습니다. 두 나라 모두 철기 기술이 뛰어나 이를 바탕으로 강성해졌지요. 실제 월왕 구천이 쓰던 검이 발굴되어 사람들의 주목을 끌었습니다. 2천 년이 훨씬 지난 지금까지도 칼날은 아주 날카롭고 아름답고 정교하게 장식되어 있는데다 그 모양도 날렵하기 그지 없습니다. 게다가 월왕 구천의 검이라는 글자가 또렷이 새겨져 있어 사람들의 감탄을 자아냈습니다.

월왕 구천과 오왕 합려, 그 아들 부차의 악연을 담은 고사성어로 '와신상담' 이라는 말이 있습니다. 오왕 합려는 월왕 구천과의 싸움에서 부상을 당한 후, 이것이 원인이 되어 죽음에 이르렀지요. 죽음을 앞에 두고 합려는 아들 부차에게 아비의 죽음을 절대 잊지 말 것을, 꼭 그 원수를 갚아 줄 것을 당부합니다. 왕이 된 부차는 원한을 잊지 않기 위해 편안한 잠자리를 마다하고, 가시가 있는 장작더미 위에 자면서臥薪, 복수를 다짐했습니다. 또 매일 아침 문지기에게 "부차야, 구천이 너의 아버지를 죽인 일을 잊었느냐?"고 소리치게 했습니다.

부차가 이렇게 칼을 갈고 있다는 소리를 들은 월왕 구천은 부하의 만류에도 불구하고 먼저 오나라를 공격했다가 결국 회계산에서 부차에게 패하고 온갖 치욕을 당했지만 목숨만은 건지게 됩니다. 이번에는 구천이 칼을 갈며 복수를 다짐하지요. 그는 매일 쓰디쓴 쓸개를 핥으며嘗膽 '회계산에서의 치욕을 잊지 말자' 고 스스로에게 다짐을 합니다. 직접 베를 짜서 백성들과 같은 옷을 입고 맛있는 식사조차 멀리했지요. 오히려 백성들과 생사고락을 함께 하며 때를 기다렸습니다. 최후에 웃은 사람은 구천이었습니다. 힘을 기른 구천은 오나라로 쳐들어가 부차를 사로잡았고, 결국 아버지의 원수를 갚지 못한 부차는 자살하고 맙니다.

오월동주吳越同舟, 와신상담臥薪嘗膽 등의 고사성어는 춘추시대 오나라와 월나라의 싸움에서 비롯된 말입니다.

진의 가혹한 통치에 대한 저항,
진승 · 오광의 난

▲ 진시황릉 동마차

기원전 209년 여름, 장마가 계속되고 있었습니다. 북쪽 변방의 수비를 위해 어양으로 향하던 진승, 오광의 무리는 계속되는 비로 길이 막혀 오도가도 못하는 처지가 되어 있었습니다. 아무리 서둘러도 국가가 명령한 기한 내에 목적지에 도착하지 못할 터, 기다리고 있는 결과는 뻔했지요. 바로 끔찍한 참수형이었지요. 계속되는 비로 길이 막혀서 빚어진 천재지변에 해당하는 일이었지만 진나라 법에는 정상참작이라는 말이 없었습니다. 고민에 빠졌던 두 사람은 의기투합하지요. 그리고는 같은 무리의 농민들에게 결의에 찬 목소리로 말했습니다.

"우리는 이미 기일을 놓쳐버렸소. 아무리 서둘러도 어양에서 우리를 기다리고 있는 것은 개죽음뿐이오. 비록 죽음을 면한다 해도 사정은 달라지지 않소. 변경의 수비를 맡는다 해도 다시 고향에 돌아갈 기약은 없습니다. 우리는 그곳에서 뼈를 묻게 될 것이오. 어찌할 것이오? 어차피 죽을 바에야 이름이라도 떨쳐야 되지 않겠습니까? 우리 둘은 결심했소. 모든 것을 운명에 맡기고 봉기하려 합니다. 생각이 있는 사람들은 우리를 따르시오!"

진승과 오광의 봉기 소식을 들은 농민들이 중국 각지에서 속속 몰려들었습니다. 이제 통일된 지 십 수 년, 그 동안 진나라의 참혹한 정치에 넌더리가 난 사람들이었습니다. 만리장성을 비롯한 대토목공사가 계속되어 백성들은 조세와 부역의 부담에서 헤어나

▲ 병마용

올 수가 없었습니다. 흉노와 남월 등을 정복하기 위한 전쟁도 계속되었지요. 엄격한 법률 조항들은 점점 더 늘어났습니다. 아주 세세한 부분까지 다 규정해놓아 너무나 복잡하였고, 이를 어겼을 때 주어지는 처벌도 가혹하기 그지없었습니다. 오죽하면 후일 한고조가 된 유방이 백성들의 환심을 사기 위해 복잡한 진의 법률 조항들을 모두 폐기하고 단 3개의 조항만 남겼을까요? 첫 횃불을 당겨줄 누군가가 필요했을 뿐이었지요. 백성들은 횃불만 오르면 반란에 동참할 만반의 준비를 갖추고 있었던 셈입니다. 봉기는 들불처럼 퍼져갔습니다.

진승은 초나라의 수도였던 진陳을 함락하여 도읍으로 삼고, 스스로 왕이 되었습니다. 국호는 장초張楚로 정했습니다. 초나라를 더욱 크게 발전시킨다는 뜻을 담고 있었습니다. 그러나 왕에 오른 진승은 점점 오만해져 백성들로부터 멀어졌습니다. 거의 전투 경험이 없었던 반란군들은 날이 갈수록 세가 꺾여가고 있었습니다. 결국 진나라 군대와의 싸움에서 크게 패하고 반란군 내부의 의견 대립으로 진승과 오광은 살해되고 말았습니다.

진승 · 오광의 난 이후 진나라는 반란의 물결에 휩싸이고, 기원전 206년 그 최후를 맞이했습니다. 통일을 이룬 지 불과 15년 만의 일이었습니다.

오십보백보

흔히 정도의 차이가 약간 있기는 하지만 사실은 별 차이가 없을 때 '오십 보 백 보'라는 말을 씁니다. 친구들끼리 또는 형제끼리 투닥거리고 싸우다, 부모님이나 선생님에게 서로 상대방이 더 잘못했다며 자신의 편을 들어달라고 호소하다가 꼭 듣게 되는 말이기도 하지요. 이 말은 《맹자》에 나오는 말입니다. 맹자의 생각을 아주 잘 드러내주는 이야기지요.

맹자는 전국시대에 활약했던 대표적인 유가사상가였습니다. 흔히 '공자왈 맹자왈…' 할 때의 바로 그분입니다. 맹자는 공자의 뜻을 이어 도덕적인 왕도 정치를 주장합니다.

어느 날, 맹자가 양나라 혜왕의 초청으로 양나라에 가게 되었습니다. 맹자의 명성을 익히 듣고 있는 혜왕인지라 맹자를 반갑게 맞이하였지요. 그런데 혜왕은 처음부터 맹자의 나무람을 들어야 했습니다.

"선생님께서 먼 천 리 길을 마다 않고 여기까지 와주시니 정말 감사합니다. 장차 우리 나라에게 이로울 방법을 알려주십시오."

혜왕이 맹자에게 이렇게 묻자 맹자가 대답합니다.

"왕께서는 어찌 이로움만을 말씀하십니까? 오직 인의仁義가 있을 뿐이지요."

혜왕은 다른 나라의 왕들처럼 자신의 가장 큰 관심의 분야인 부국강병의 방법에 대해 맹자께 물었던 것입니다. 사실 부국강병이란 당연히 백성들에게 세금을 많이 걷어 무기를 만들고 군량미를 장만하고, 또 농사짓는 백성들을 군대로 소집해 군사 훈련을 시키고 해야 가능한 일이었지요. 맹자는 그렇게 백성들을 고통 속에 빠뜨릴 궁리만 하지 말고, 어떻게 하면 백성들을 사랑하고 올바른 정치를 펼칠 것인가를 생각하며 정치를 해야 한다고 나무란 것입니다.

맹자의 핀잔에도 양혜왕은 또 묻습니다.

"나는 온 힘을 다해 내 나라를 다스리고 있습니다. 하내河內 땅에 흉년이 들면 그곳에 사는 백성을 하동河東 땅으로 빨리 옮기거나, 하동의 곡식을 하내로 빨리 옮겨 백성들이 굶주리는 일이 없도록 하였으며, 하동 땅에 흉년이 들면 거꾸로 하동의 백성을 하내의 땅으로 옮기거나 하내의 곡식을 옮겨서 굶는 일이 없도록 하였소. 나는 이렇듯 정성을 다하는데 왜 이웃나라의 백성들은 줄어들지 않고, 우리나라 백성의 숫자는 늘어나지 않는 것입니까?"

맹자가 대답합니다.

"왕께서 전쟁을 좋아하시니까 전쟁으로 비유하지요. 전쟁터에서 양측의 병사가 맞붙어 막 전쟁이 시작되는 순간, 두려움에 떨던 몇몇 병사들이 뒤를 돌아 도망하기 시작하였습니다. 어떤 병사는 100걸음 도망한 뒤 몸을 숨기고, 또 어떤 사람은

50걸음 도망한 뒤 몸을 숨겼습니다. 50걸음 도망한 사람이 100걸음 도망한 사람을 보고 비겁하다고 비웃을 수 있습니까?"

양혜왕이 흥분하며 대답했습니다.

"아니 50걸음 도망간 사람이나 100걸음 도망간 사람이나 그놈이 그놈이 아닙니까? 전투 중에 도망을 가다니요?"

맹자가 웃으며 이야기했습니다.

"왕께서 그러함을 아신다면 백성들이 이웃 나라보다 많아지기를 바라지 마십시오."

맹자는 나라의 흉년이 들었을 때 곡식과 백성을 옮기고 하는 정도로 정치를 잘한다고 으스대지 말고, 보다 근본적으로 백성들을 편안하게 하는 왕도 정치를 펴라는 충고를 했던 것입니다. 이어서 맹자는 형벌을 줄이고 세금을 적게 거두며, 때에 맞추어 농사짓도록 군사를 일으키지 않는 정치를 펼 것을 당부했지요.

오십 보 백 보는 바로 조금 낫고 좀 덜하고의 차이는 있지만 본질적인 차이는 없다는 의미의 말입니다.

전국시대의 나라들

고만고만한 수많은 나라들이 난립해 있고, 그중 5개의 나라(5패)가 큰 세력을 뻗치고 있던 춘추시대에 비해, 전국 시대에 이르러 수많은 나라들은 7개의 나라로 통폐합되어갔습니다. 제, 초, 연, 조, 한, 위, 진. 이들 나라를 전국 7웅이라고 합니다. 물론 이들 나라 사이에 끼인 약소국 10여 나라가 있긴 했지만요. 싸움의 규모가 이전보다 훨씬 커진 것은 당연하겠지요. 전쟁의 시대였습니다. 말 그대로 죽느냐 사느냐는, 사활이 걸린 전쟁이 늘 벌어지고 있었습니다. 각국의 군주들은 천하를 통일해 그 주인이 되겠다는 야망을 불태우며 치열하게 경쟁하였습니다.

전국 7웅 가운데서도 특히 강했던 나라는 위, 제, 진 세 나라였습니다. 그 중에서도 위나라가 먼저 최강국으로 떠올랐지요. 위는 서쪽의 진나라를 제압하여 서쪽 구석으로 몰아넣고 황하 서쪽의 넓은 땅을 차지하고, 동쪽으로는 제나라를 공격하여 서쪽을 넘보지 못하도록 못박아두었지요. 물론 북으로는 조나라를, 남으로는 초나라를 공격하여 중국의 중앙에 떡 버티고 강력한 위력을 떨치게 되었습니다. 이제 작은 나라들은 물론이고, 7웅에 속하는 큰 나

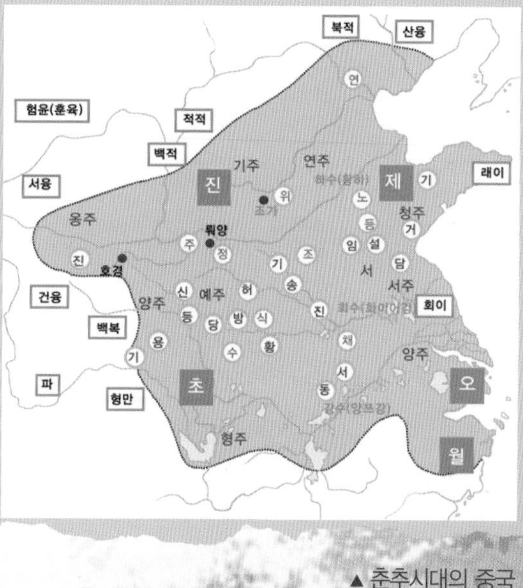

북적
산융
연
험윤(훈육)
적적
백적
기주
연주
진
제
기
래이
서융
위
노
옹주
청주
등
거
뤄양
주
정
임
설
진
호경
기
조
담
서
서주
건융
신
예주
허
송
양주
진
회이
백복
등
당
방
식
용
채
황
수
기
서
양주
파
초
동
오
형만
강수(양쯔강)
형주
월

▲ 춘추시대의 중국

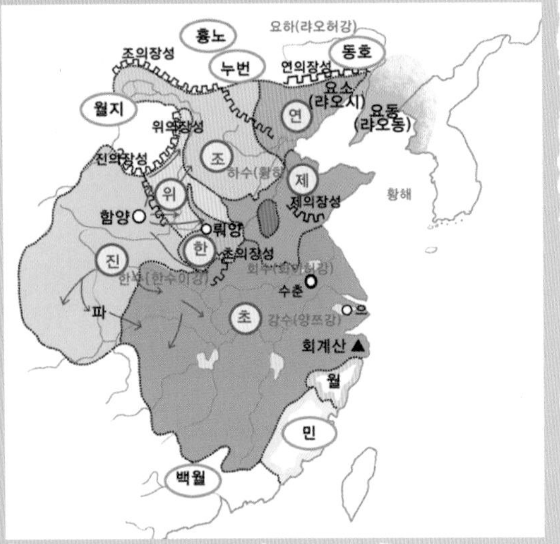
흉노
요하(랴오허강)
조의장성
동호
누번
연의장성
요소
(랴오시)
월지
요동
(랴오둥)
연
위의장성
조
진의장성
제
황해
위
제의장성
함양
한
진
초의장성
수춘
파
초
강수(양쯔강)
회계산
월
민
백월
▲ 전국시대

라들조차 위나라의 눈치를 보지 않을 수 없었습니다.

위나라 군대가 승승장구할 수 있었던 데에는 뛰어난 장수 오기의 활약을 빼놓을 수 없습니다. 장수임에도 병졸들과 먹고 입는 것, 자는 것을 함께 하며 병사들의 마음을 사로잡았습니다. 한 병졸이 악성 종기로 고생할 때는 직접 고름을 입으로 빨아 낫게 해주기도 했습니다. 병사들은 오기의 명에 절대 복종하여 죽기를 각오하고 싸웠으니 싸움에서는 늘 이길 수밖에 없었지요. 그 후 새로 위의 주인이 된 무후와 사이가 벌어진 오기는 초나라로 떠나고 맙니다.

오기의 활약으로 이번에는 초의 위세가 당당해집니다. 초는 춘추시대에도 강성했던 5패 중 한 나라였지요. 초는 가장 남쪽에 위치했으며 영토는 나머지 여섯 나라를 합친 것만큼이나 넓었습니다. 양쯔강 중류에 위치하고 있어 풍요로운 나라이기도 했습니다.

또 다른 강국은 제나라였습니다. 제나라는 손빈의 뛰어난 병법의 활용으로 위나라를 제압하고 강자로 부상했습니다. 제나라는 직하에 수많은 인재들이 모여 자유롭게 토론하고 연구하는 학문, 사상의 요람을 만들었습니다. 수많은 학자들이 모여 각자 주장을 펼치며 자유로운 토론을 벌였지요. 제자백가가 탄생한 곳이 이곳이라 해도 과언이 아닙니다. 순자, 한비자, 이사 등이 이곳에서 연구하고 자신의 학설을 가다듬었지요.

손빈의 활약으로 제나라가 승승장구하는 동안 진나라에서는 상앙에 의한 대대적인 개혁이 추진되고 있었습니다. 두 차례의 대대적인 개혁 조치 이후 가장 약소국이었던 진은 일약 전국시대 최강자로 떠올랐습니다. 전국시대 초기가 위나라의 시대였다면 뒤이은 시대는 진나라와 제나라가 패권을 다투는 시기였습니다.

이들 세 나라 이외에도 한비자의 고국 한韓나라가 있었지요. 한나라는 신불해가 재상으로 있는 동안은 세력이 만만찮을 정도의 강국이었습니다. 신불해는 상앙과 더불어 한비자에게도 큰 영향을 미쳤던 법가사상가였지요.

조나라는 가장 북쪽에 위치하고 있었던 나라로 북방 민족과 교류가 활발한 편이었습니다. 남쪽에는 위나라나 제나라 같은 강대국이 버티고 있었기 때문이었지요.

연나라는 지금의 베이징 부근에 자리하고 있던 나라였습니다. 중국의 중심부에서 좀 떨어져 있어 비교적 치열한 대결의 소용돌이의 중심에 있지는 않았지만 북방 유목민족의 침입에 시달려야 했습니다.

약육강식의 시대, 다른 나라의 침입을 물리치고 살아남기 위해, 나아가 중원의 패권을 장악하기 위해 각국의 군주들과 그들을 보좌하는 뛰어난 인재들은 숨막히는 대결을 벌였습니다. 진나라를 제외한 나머지 나라들이 연합하여 최강국인 진에 대항한다는 합종책, 강국인 진과의 동맹에 기대어 자국의 생존을 보장받으려는 연횡책이 엇갈렸습니다.

최종 승자는 역시 진나라였습니다. 200년이나 넘게 계속된 전국시대, 밀고 밀리는 전쟁이 끝없이 이어지는 동안 서서히 쇠락의 길을 가던 나라들은 진나라에 의해 차례차례 스러져갔습니다. 한韓이 망하고, 조나라, 위나라가 차례로 망했습니다.

기원전 223년에는 춘추 시대부터의 오랜 강국 초나라가, 그 이듬해에는 연나라가, 그리고 마지막으로 진의 가장 강력했던 라이벌 제나라가 멸망당했습니다. 그때가 기원전 221년, 드디어 진은 천하를 통일하였고, 중국 최초의 통일 제국이 되었습니다.

한비자

권오경 글 | 유대수 그림

01 다음 중 한비자가 활약했던 시대는 언제일까요?

① 주나라시대　② 춘추시대　③ 전국시대
④ 한나라시대　⑤ 남북조시대

02 법가 사상을 채택하여 엄격한 법과 가혹한 형벌을 통해 전쟁에 효율적인 국가 체제를 만들어 전국시대를 통일한 중국 최초의 통일 제국은 무엇일까요?

① 한　② 진　③ 위　④ 수　⑤ 당

03 한비자와 같은 순자의 제자로 진나라의 시황제를 도와 법가사상에 의한 정치를 펼쳤으며 한비자를 죽음에 이르게 했던 인물은 누구일까요?

① 이사　② 상앙　③ 손
④ 신도　⑤ 미자하

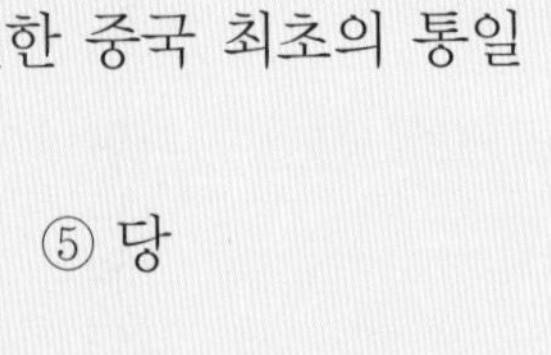

04 다음 중 춘추전국시대에 있었던 역사적 사실이 아닌 것을 고르세요.

① 수많은 나라들로 분열되어 치열한 전쟁을 벌이던 약육강식의 시대였다.

② 제자백가라고 불리는 수많은 학자와 사상가가 활약했던 시대였다.

③ 철제 무기가 처음 사용되어 싸움의 규모가 더욱 크고 격렬해졌다.

④ 계속되는 전쟁으로 경제적으로도 크게 후퇴한 시대였다.

⑤ 타고난 신분보다 본인의 실력으로 승부하는 시대였다.

05 다음 중 《한비자》에 나타난 한비자의 주장과 거리가 먼 것은 무엇일까요?

① 신하의 말을 들을 때 반드시 여러 신하의 말들을 비교 검토해 보라.

② 공이 있는 자는 반드시 상과 명예로 포상하여 그들의 능력을 다하게 하라.

③ 상 주고 칭찬을 하는 일은 군주가 직접하되 형벌을 주는 것은 다른 이가 대신하게 하라.

④ 함정 수사처럼 때로 다 알고도 신하들을 일부러 시험해 볼 필요가 있다.

⑤ 어떤 일이 생기면 이 일로 인해 이익을 얻는 자와 불리한 자가 누군지 면밀히 살펴봐야 한다.

06 오나라와 월나라 사람들이 한 배를 탔다는 말로 아무리 원수지간이라도 큰 어려움 앞에서 함께 협력할 수밖에 없는 상황을 일컫는 고사성어는 무엇일까요?

07 진시황제가 법가와 관련된 책, 농업 등의 실용서를 제외한 모든 책을 불온하다고 불태워 없애고 정치를 비판하는 유학자들을 산 채로 파묻어 죽게 했던 사건을 이르는 말은 무엇일까요?

08 한나라 소후가 잠을 자고 있을 때 추워 보이는 군주를 위해 모자를 맡고 있는 관리가 옷을 덮어 주었는데, 이로 인해 이 관리는 처벌을 받았습니다. 그가 처벌을 받은 이유는 무엇일까요?

06 오월동주 / 07 분서갱유 / 08 자기의 직분(임무)을 넘어서는 일을 했기 때문입니다.

09 말을 더듬었습니다.

10 오늘날의 법은 국민의 대표기관인 국회(의회)에서 만들지만, 법가시대의 법은 군주(왕)가 자신의 뜻에 따라 나라를 다스리기 위해 일방적으로 만들었습니다.

정답

01 ③ / 02 ② / 03 ①

04 ④ : 정치적으로는 혼란기였으나, 철제 농기구의 사용 등 부국강병을 위한 각국의 노력으로 생산력이 늘어나고 상업, 수공업이 발달하였으며 화폐가 사용되는 등 경제력도 크게 성장했습니다.

05 ③ : 한비자는 형벌을 주는 것도 군주가 직접 하여 군주의 권위를 나타내야 한다고 했습니다. 형벌을 대신하는 신하가 군주보다 큰 힘을 가질 수 있음을 경고했습니다.

09 한비자의 글을 읽고 감탄하여 그를 만나고 싶어 했던 시황제는 직접 한비자를 만나고 나서는 크게 실망했다고 합니다. 한비자는 직접 군주를 만나 말로써 상대를 설득하기보다는 주로 글을 써서 자신의 주장을 펼쳤지요. 이는 한비자가 자신의 뜻을 말로 펴기 어려운 약점을 하나 가지고 있었기 때문입니다. 이 약점은 무엇일까요?

10 법의 제정 주체와 관련해서 법가(法家)들이 활약했던 시대의 법치주의가 오늘날의 법치주의와 가장 다른 점은 무엇일까요?

통합교과학습의 기본은 세계사의 이해,

세계대역사 50사건

진시황제와 중국 통일
코페르니쿠스와 과학 혁명
마르크스 레닌주의
제2차 세계 대전

제대로 알차게 만든 교양 세계사 만화!

우리 집 최고의 종합 인문 교양서!

★서양사와 동양사를 21세기의 균형적 시각에서 다룬 최초의 역사 만화
★세계사의 핵심사건과 대표적 인물을 함께 소개해 세계사의 맥락을 짚어 주는 책
★시시각각 이슈가 되는 세계사 정보를 지식이 되게 하는 재미있는 대중 교양서

1. 파라오와 이집트
2. 마야와 잉카 문명
3. 춘추 전국 시대와 제자백가
4. 로마의 탄생과 포에니 전쟁
5.석가모니와 불교의 발전
6. 그리스 철학의 황금시대
7. 페르시아 전쟁과 그리스의 번영
8. 알렉산드로스 대왕과 헬레니즘
9. 실크 로드와 동서 문명의 교류
10. 진시황제와 중국 통일
11. 카이사르와 로마 제국
12. 로마 제국의 황제들
13. 예수와 기독교의 시작
14. 무함마드와 이슬람 제국
15. 십자군 전쟁
16. 칭기즈 칸과 몽골 제국
17. 르네상스와 휴머니즘
18. 잔 다르크와 백년전쟁
19. 루터와 종교개혁
20. 코페르니쿠스와 과학 혁명
21. 동인도회사와 유럽 제국주의
22. 루이 14세와 절대왕정
23. 청교도 혁명과 명예혁명
24. 미국의 독립전쟁
25. 산업 혁명과 유럽의 근대화
26. 프랑스 대혁명
27. 나폴레옹과 프랑스 제1제정
28. 라틴 아메리카의 독립과 민주화
29. 빅토리아 여왕과 대영제국
30. 마르크스_레닌주의
31. 태평천국운동과 신해혁명
32. 비스마르크와 독일 제국의 흥망성쇠
33. 메이지 유신 일본의 근대화
34. 올림픽의 어제와 오늘
35. 양자역학과 현대과학
36. 아인슈타인과 상대성 원리
37. 간디와 사티아그라하
38. 마오쩌둥과 중국 공산당
39.대공황 이후 세계 자본주의의 발전
40. 제2차 세계 대전
41. 태평양 전쟁과 경제대국 일본
42. 호찌민과 베트남 전쟁
43. 팔레스타인과 이스라엘의 분쟁
44. 넬슨 만델라와 인권운동
45. 카스트로와 쿠바 혁명
46.아프리카의 독립과 민주화
47. 스푸트니크호와 우주 개발
48. 독일 통일과 소련의 붕괴
49. 유럽 통합의 역사와 미래
50. 신흥대국 중국과 동북공정

★가이드북

김창회 외 글 | 진선규 외 그림 | 232쪽 내외